à vous de lire

4

LA RÉVOLUTION FRANÇAISE

textes proposés et annotés
par
Olivier Garreau

ALLIANCE FRANÇAISE
HACHETTE

Titres parus dans la même collection :

à vous de lire 1 (livre et cassette)
Contes et nouvelles :
La Bruyère, Voltaire, Balzac, Maupassant, Alphonse Daudet...

à vous de lire 2 (livre et cassette)
Nouvelles et extraits de romans :
Mme de Sévigné, Diderot, Stendhal, Dumas, Hugo, Jules Renard...

à vous de lire 3 (livre et cassette)
Poèmes :
Du Bellay, Ronsard, La Fontaine, Hugo, Lamartine, Verlaine,
Rimbaud...

À paraître :

à vous de lire 5 - La tour Eiffel
Textes sur la tour Eiffel :
Gustave Eiffel, Apollinaire, Cocteau, Aragon, Giraudoux, Le
Corbusier...

Couverture :
La prise de la Bastille (14 juillet 1789).
Peinture à l'huile, château de Versailles.

ISBN 2.01.012292.5

© HACHETTE 1988, 79, boulevard Saint-Germain - F 75006 PARIS

Avant-propos

Deux cents ans après, la révolution française n'est toujours pas terminée. Parce qu'elle a substitué à un État absolutiste de droit divin un État de souveraineté nationale, laïc et libéral ; parce qu'elle a aboli les privilèges, détruit les monopoles, affranchi ses citoyens, perfectionné ses institutions ; parce qu'elle a transformé profondément les structures de l'État et de la société, la révolution française est l'événement le plus important de notre histoire contemporaine et au cœur des mouvements politiques et sociaux des nations qu'elle a inspirés. Et pourtant, comme ce le fut déjà, moins sensiblement toutefois, en 1987 pour le millénaire capétien, cette commémoration ne peut prétendre être très « consensuelle » car le débat de la révolution française est toujours ouvert et semble ne devoir jamais être clos. Débat idéologique, débat historique, débat culturel, la révolution française a ses procureurs et ses avocats, chacun lisant l'événement selon le schéma d'interprétation qu'il s'est construit. Aux lectures « jacobines », très avancées, s'opposent des lectures « révisionnistes » ou « contre-révolutionnaires » qui réduisent la révolution française à une aventure sanglante et destructrice, modèle des totalitarismes. Répondant aux attaques à propos de l'insurrection du 10 août, Robespierre interrogeait : « Citoyens, vouliez-vous une révolution sans révolution ? »

Alors, comme Edgar Quinet qui, déjà en 1865, proposait sa « Critique de la révolution au nom de la révolution », cette commémoration ne doit pas tant être la consécration d'une date synthétisante, mais plutôt l'occasion de chercher à comprendre ce passé pour prendre conscience d'aujourd'hui, et reconsidérer l'expression désormais commune, en France comme à l'étranger : Liberté, Égalité, Fraternité.

Alors que prolifèrent recherches, travaux, publications, manifestations et autres fastes qui doivent jalonner la commémoration bicentenaire de la révolution française, A vous de lire se devait de participer à ce concert d'intentions. Ainsi, en consacrant son quatrième volume au traitement d'un thème, la collection donne une dimension supplémentaire à ses objectifs initiaux. Le choix des textes s'est opéré sur la notoriété incontestée de leur auteur, les titres dont ils sont extraits sont majoritairement de grande légitimité, mais surtout, c'est le sujet qu'ils relatent qui est classique : la prise de la Bastille, la fuite et l'arrestation à Varennes,... le 18 brumaire, etc. Chaque texte éclaire un événement, un tournant marquant, un personnage phare de la période qu'on ne peut pas ne pas connaître. De toute évidence, nous avons dû préférer la diversité à l'exhaustivité. Ainsi s'y côtoient historiens, romanciers, poètes, témoins et acteurs. Mais, ne s'agissant ni d'un panorama de la période, ni d'une anthologie des auteurs ayant traité du sujet, le lecteur averti ne manquera pas de relever des absences (Tocqueville, Thiers, etc.) et des lacunes (Valmy, Danton, etc.).

Pour le reste, ce volume reste fidèle aux principes de la collection. Des textes courts, des genres littéraires différents, des biographies brèves, des notes instrumentales qui visent principalement à lever une ambiguïté ou à fournir une information complémentaire.

En somme, c'est un outil efficace pour l'enseignant et l'apprenant, et un objet de plaisir pour le lecteur que nous espérons avoir élaboré. C'est également notre façon d'apporter notre lumignon aux lampions de la fête.

O.G.

André Chénier

Né à Constantinople en 1762, mort à Paris en 1794.

Sa mère, de culture grecque, l'initie très tôt à l'antiquité et lui fait fréquenter les salons littéraires. Sa santé délicate interrompt une carrière militaire. C'est en 1790, après quelques voyages et des amours sans lendemain, que Chénier se lance dans la mêlée politique. De tendance modérée, ses pamphlets anti-jacobins le rendent suspect. Il est emprisonné à Saint-Lazare où il rencontre Aimée de Coigny pour laquelle il écrit « La jeune captive ».

On ne connaît de son vivant que son travail de journaliste et de polémiste. L'œuvre poétique, essentiellement posthume, comprend : les *Idylles* ou *Bucoliques, La Jeune Tarentine, Néaere, L'Aveugle*, deux vastes poèmes *L'Hermès* et *L'Amérique*, et *Ïambes* par lesquels il proteste contre les excès de la révolution.

L'œuvre de Chénier mêle sa dévotion aux modèles gréco-latins, sa sensibilité mélancolique et une recherche de la langue originelle et formelle.

La jeune captive

Ode inspirée par la jolie duchesse Aimée de Coigny, alors qu'ils étaient tous deux enfermés dans les prisons de la Terreur, à Saint-Lazare.

« L'épi naissant mûrit de la faux respecté ;
Sans crainte du pressoir, le pampre[1] tout l'été
Boit les doux présents de l'aurore ;
Et moi, comme lui belle, et jeune comme lui,
5   Quoi que l'heure présente ait de trouble et d'ennui,
Je ne veux point mourir encore.

Qu'un stoïque[2] aux yeux secs vole embrasser la mort :
Moi je pleure et j'espère. Au noir souffle du nord
Je plie et relève ma tête.
10   S'il est des jours amers, il en est de si doux !
Hélas ! quel miel jamais n'a laissé de dégoûts ?
Quelle mer n'a point de tempête ?

L'illusion féconde habite dans mon sein.
D'une prison sur moi les murs pèsent en vain,
15   J'ai les ailes de l'espérance.
Échappée aux réseaux[3] de l'oiseleur[4] cruel,
Plus vive, plus heureuse, aux campagnes du ciel
Philomène[5] chante et s'élance.

Est-ce à moi de mourir ? Tranquille je m'endors
20   Et tranquille je veille ; et ma veille aux remords
Ni mon sommeil ne sont en proie.
Ma bienvenue au jour me rit dans tous les yeux ;
Sur des fronts abattus, mon aspect dans ces lieux
Ranime presque de la joie.

---

1. Le pampre : la branche de vigne avec ses feuilles et ses fruits.
2. Stoïque : héros courageux et inébranlable.
3. Réseaux : filets.

4. Oiseleur : celui dont la profession est d'attraper des oiseaux.
5. Philomène : martyre imaginaire (XIXe s.).

25 Mon beau voyage encore est si loin de sa fin !
   Je pars, et des ormeaux[6] qui bordent le chemin
   J'ai passé les premiers à peine,
   Au banquet[7] de la vie à peine commencé,
   Un instant seulement mes lèvres ont pressé
30 La coupe en mes mains encor pleine.

   Je ne suis qu'au printemps, je veux voir la moisson,
   Et comme le soleil, de saison en saison,
   Je veux achever mon année.
   Brillante sur ma tige et l'honneur du jardin,
35 Je n'ai vu luire encor que les feux du matin ;
   Je veux achever ma journée.

   O mort ! tu peux attendre ; éloigne, éloigne-toi ;
   Va consoler les cœurs que la honte, l'effroi,
   Le pâle désespoir dévore.
40 Pour moi Palès[8] encore a des asiles verts,
   Les Amours[9] des baisers, les Muses[10] des concerts.
   Je ne veux point mourir encore. »

   Ainsi, triste et captif, ma lyre toutefois
   S'éveillait, écoutant ces plaintes, cette voix,
45 Ces vœux d'une jeune captive ;
   Et secouant le faix[11] de mes jours languissants,
   Aux douces lois des vers je pliai les accents
   De sa bouche aimable et naïve.

   Ces chants, de ma prison témoins harmonieux,
50 Feront à quelque amant des loisirs studieux
   Chercher quelle fut cette belle.
   La grâce décorait son front et ses discours,
   Et comme elle craindront de voir finir les jours
   Ceux qui les passeront près d'elle.
   ODES.

6. **Ormeaux :** petits ormes, arbres souvent plantés en allée.
7. **Banquet :** repas d'honneur et de fête.
8. **Palès :** protecteur des troupeaux dans la mythologie romaine.
9. **Amours :** personnification mythologique de l'amour (Éros, Putto...).
10. **Muses :** déesses de l'antiquité qui président aux arts.
11. **Le faix :** le fardeau, charge lourde ou chose pénible à porter.

On vit ; on vit infâme[1]...

On vit ; on vit infâme. Eh bien ? il fallut l'être ;
L'infâme après tout mange et dort.
Ici même, en ses parcs, où la mort nous fait paître,
Où la hache nous tire au sort,
5   Beaux poulets sont écrits ; maris, amants sont dupes ;
Caquetage[2], intrigues de sots.
On y chante ; on y joue ; on y lève des jupes ;
On y fait chansons et bons mots ;
L'un pousse et fait bondir sur les toits, sur les vitres,
10   Un ballon tout gonflé de vent,
Comme sont les discours des sept cents plats[3] bélîtres[4],
Dont Barère[5] est le plus savant.
L'autre court ; l'autre saute ; et braillent, boivent, rient
Politiqueurs et raisonneurs ;
15   Et sur les gonds de fer soudain les portes crient.
Des juges tigres nos seigneurs
Le pourvoyeur[6] paraît. Quelle sera la proie
Que la hache appelle aujourd'hui ?
Chacun frissonne, écoute ; et chacun avec joie
20   Voit que ce n'est pas encor lui :
Ce sera toi, demain, insensible imbécile.

ÏAMBES.

---

1. **Infâme :** honteux, indigne, méprisable.
2. **Caquetage :** bavardage ; les poules caquettent.
3. **Plat :** sans consistance.
4. **Bélître :** terme injurieux, un homme de rien ; « les sept cents plats bélîtres » désigne l'assemblée des députés.

5. **Barère** (1755-1841) : député, partisan de la Terreur.
6. **Pourvoyeur :** celui qui approvisionne ; *ici*, celui qui amène les condamnés à l'échafaud.

Projet d'un discours du roi à l'Assemblée nationale

Après une séance très agitée chez les jacobins, des bruits courent sur le soulèvement des faubourgs. On dit même que le roi devrait se rendre à l'Assemblée nationale pour y trouver protection. Chénier, inquiet, rédige à la hâte ce projet de discours qu'il aimerait entendre prononcer par le roi.

Août 1792

Messieurs,

Je suis amené au milieu de vous par la profonde douleur que m'inspire l'état horrible où je vois Paris et la France : la patrie opprimée par des factions[1] qui ne connaissent plus ni bornes, ni frein, déchirée par des discordes intestines[2], menacée par des étrangers que nos discussions seules enhardissent[3] à un langage si hautain et si injurieux pour une nation indépendante, et à la veille des plus effroyables catastrophes. Mon cœur, accablé sous le poids de tant de maux présents et de tant de maux à venir, m'a porté vers vous pour essayer par un dernier effort de mettre enfin un terme à nos divisions, de donner quelque force aux lois et à la puissance publique, et de nous opposer, en assurant la liberté, au torrent qui emporte la France et l'entraîne à sa ruine. [...]

Messieurs, je supplie tous les Français de ne consulter et de ne croire que leur conscience, sur ce que je vais leur dire ; je défie tout citoyen qui attache quelque sens aux mots qu'il emploie, d'oser me dire qu'il se sent libre ; d'oser me dire qu'il pense au lendemain sans effroi ; d'oser me dire qu'il s'endort et qu'il se réveille dans la sécurité entière, qu'avant de se réveiller, ou de s'endormir une seconde fois, sa réputation n'aura pas été déchirée, sa femme, sa sœur, sa fille insultées, sa maison incendiée, sa fortune envahie, sa poitrine percée, son visage frappé impunément[4]. Dans un pays où de telles choses

---

1. **Factions :** complots, ligues.
2. **Intestines :** intérieures.
3. **Enhardir :** encourager.
4. **Impunément :** injustement et sans risque de poursuite.

sont possibles, il n'y a que ceux qui les font qui puissent se vanter de la liberté, et il n'y a pour tous les hommes de bien que le plus dur et le plus avilissant[5] esclavage.

S'il existe encore quelque remède à tant de maux, ce remède, Messieurs, n'est que dans vos mains. Il ne s'agit point de créer des pouvoirs extraordinaires ; il ne s'agit point de recourir à des dictatures, moins favorables au bien public qu'à l'intrigue et à l'ambition. La fidélité scrupuleuse aux lois constitutionnelles, l'obéissance invariable aux pouvoirs qu'elles ont créés, voilà ce qui suffit pour nous tirer de l'abîme[6]. Si les représentants élus de la nation veulent enfin s'unir constitutionnellement avec son représentant héréditaire ; si ces deux pouvoirs, en se respectant mutuellement, forcent tous les citoyens à les respecter ; si les ministres, magistrats, officiers chargés de l'exécution des lois, sont encouragés, protégés dans cette entreprise devenue si épineuse[7], et ne sont point chaque jour les jouets[8] et les victimes des dénonciations les plus vagues et les plus absurdes ; si l'Assemblée nationale fait un crime aux tribunaux et à tous les fonctionnaires publics de leur indulgence plutôt que de leur sévérité ; si elle n'ouvre plus sa barre à des calomniateurs[9] ennemis de la constitution et des lois ; si ces tribunes réduites au silence et à la nullité la plus absolue, n'exercent plus sur ses délibérations un empire qui est la plus sacrilège usurpation de la souveraineté nationale[10] ; si elle ne tolère plus auprès d'elle et dans toute la France ces séminaires[11] de désordre et de turpitude[12] où les crimes sont applaudis ; si la licence[13] venimeuse des libellistes[14] est réprimée ; si vous renvoyez à leur poste des hommes qui, sous prétexte d'une Fédération[15] qu'ils ont rendue sinistre, sont venus surcharger de calamités[16] et de deuil cette capitale de l'empire ; si enfin des exemples trop nécessaires d'une rigueur éclairée, mais inflexible, font connaître à tous les citoyens que vous voulez que les lois soient exécutées, que la constitution soit suivie, que le gouvernement s'établisse : alors toute espérance n'est pas perdue ; les méchants seront intimidés, les bons reprendront courage, et la France peut bientôt être glorieuse et libre. Mais, Messieurs, si notre

---

5. **Avilissant :** humiliant, dégradant.
6. **Abîme :** gouffre ; *ici*, perte, ruine.
7. **Épineuse :** délicate, difficile.
8. **Les jouets :** les victimes.
9. **Calomniateurs :** qui attaquent l'honneur et la réputation ; diffamateurs, accusateurs.
10. **La plus sacrilège... nationale :** appropriation de l'indépendance, du droit et du pouvoir de la nation.
11. **Un séminaire :** une réunion d'étude.

12. **Turpitude :** déshonneur, honte.
13. **Une licence :** un droit, une autorisation.
14. **Libelliste :** auteur de libelles, d'écrits diffamatoires et satiriques, de pamphlets.
15. **La Fédération :** mouvement de 1789, pour l'unité nationale et la défense de la révolution, qui devait réconcilier la révolution et le roi, celui-ci ayant prêté serment à la constitution.
16. **Calamités :** catastrophes, malheurs.

sanglante anarchie continue ; si vous, qui seuls le pouvez, ne voulez pas, par les moyens que je vous indique, étouffer les germes[17] de division que toutes les passions impunies ont jetés sur ce malheureux pays, je vous le dis avec la conviction la plus douloureuse, notre dissolution est inévitable, et il n'existe plus de France. [...]

ÉCRITS POSTHUMES.

---

17. **Germes :** causes, sources, origines.

Madame de Staël

Germaine Necker, baronne de Staël-Holstein est née à Paris en 1766, où elle meurt en 1817.

Fille du baron Necker, ministre de Louis XVI, cette enfant prodige rédige des *Éloges* à 11 ans et commente *L'Esprit des lois* à 15 ans.

Durant la révolution française, son salon est un des principaux centres littéraires et politiques de Paris, ouvert à des hommes de diverses tendances.

Elle quitte Paris à la chute de la royauté et voyage. De retour après Thermidor, elle prépare *De l'Allemagne* qui doit révéler la civilisation germanique aux Français. Mais la police impériale saisit l'ouvrage. Elle parcourt alors l'Europe, intriguant contre Napoléon et prépare deux ouvrages qui seront publiés après sa mort : *Considérations sur la révolution française* (1817) et *Dix années d'exil* (1821). Elle rouvre son salon à la Restauration.

La révolution du 18 brumaire[1]

Bonaparte a quitté secrètement l'Égypte où il avait mené une expédition française au printemps 1798. La flotte anglaise a détruit la flotte française à Aboukir, le 1ᵉʳ août 1798. Les Turcs ont déclaré la guerre à la France en février 1799, mais sont battus en avril.

Vainqueur, Bonaparte n'en était pas moins prisonnier de sa conquête, et il ne comptait pas laisser au Directoire le mérite de rétablir la paix sans son concours.

Le soir même de mon arrivée, j'appris que, pendant les cinq semaines que le général Bonaparte[2] avoit[3] passées à Paris depuis son retour, il avoit préparé les esprits à la révolution qui venoit d'éclater. Tous les partis s'étoient offerts à lui, et il leur avoit donné de l'espoir à tous. Il avoit dit aux jacobins[4] qu'il les préserveroit du retour de l'ancienne dynastie ; il avoit, au contraire, laissé les royalistes se flatter qu'il rétabliroit les Bourbons[5] ; il avoit fait dire à Sieyès[6] qu'il lui donneroit les moyens de mettre au jour la constitution qu'il tenoit dans un nuage depuis dix ans ; il avoit surtout captivé le public qui n'est d'aucun parti, par des protestations générales d'amour de l'ordre et de la tranquillité. On lui parla d'une femme dont le directoire[7] avait fait saisir les papiers ; il se récria sur l'absurde atrocité de tourmenter les femmes, lui qui en a tant condamné, selon son caprice, à des exils sans terme ; il ne parloit que de la paix, lui qui a introduit la guerre éternelle dans le monde. Enfin, il y avoit dans sa manière une hypocrisie doucereuse[8] qui faisoit un odieux contraste avec ce qu'on savoit de sa violence. Mais, après une tourmente de dix années, l'enthousiasme des idées avoit fait place dans les hommes de la révolution aux craintes et aux espérances qui les concernoient personnellement. Au bout d'un certain temps les idées reviennent ; mais la génération qui a eu part à de grands troubles civils, n'est presque jamais capable d'établir la liberté : elle s'est trop souillée pour accomplir une œuvre aussi pure.

---

1. **Le 18 brumaire :** le 9 novembre 1799, selon le calendrier révolutionnaire.
2. **Le général Bonaparte** (1769-1821) : devient Napoléon Iᵉʳ, empereur des Français en 1804.
3. **Avoit :** avait. Les terminaisons de l'imparfait sont imprimées selon l'ancienne graphie.
4. **Les jacobins :** club de républicains, devenu l'âme du gouvernement révolutionnaire.

5. **Les Bourbons :** la famille royale.
6. **Sieyès** (1748-1836) : député, président des Cinq-Cents, directeur en 1799 puis 2ᵉ consul provisoire.
7. **Directoire :** période qui succède à la convention, pouvoir de 5 directeurs.
8. **Doucereuse :** d'une douceur désagréable.

La révolution de France n'a plus été, depuis le 18 fructidor[9], qu'une succession continuelle d'hommes qui se perdoient en préférant leur intérêt à leur devoir ; ils donnoient du moins ainsi une grande leçon à leurs successeurs.

Bonaparte ne rencontra point d'obstacles pour arriver au pouvoir. Moreau[10] n'étoit pas entreprenant dans les affaires civiles ; le général Bernadotte[11] demanda vivement au directoire de le rappeler au ministère de la guerre. Sa nomination fut écrite, mais le courage manqua pour la signer. Presque tous les militaires se rallièrent donc à Bonaparte ; car, en se mêlant encore une fois des révolutions intérieures, ils étoient résolus à placer un des leurs à la tête de l'État, afin de s'assurer ainsi les récompenses qu'ils vouloient obtenir.

Un article de la Constitution qui permettoit au Conseil des Anciens[12] de transférer le corps législatif dans une autre ville que Paris, fut le moyen dont on se servit pour amener le renversement du directoire.

Le Conseil des Anciens ordonna, le 18 brumaire, que le corps législatif et le Conseil des Cinq-Cents[13] se transportassent à Saint-Cloud[14] le lendemain 19, parce qu'on pouvoit y faire agir plus facilement la force militaire. Le 18 au soir, la ville entière étoit agitée par l'attente de la grande journée du lendemain ; et sans aucun doute la majorité des honnêtes gens, craignant le retour des jacobins, souhaitoit alors que le général Bonaparte eût l'avantage. Mon sentiment, je l'avoue, étoit fort mélangé. La lutte étant une fois engagée, une victoire momentanée des jacobins pouvoit amener des scènes sanglantes ; mais j'éprouvois néanmoins, à l'idée du triomphe de Bonaparte, une douleur que je pourrois appeler prophétique.

Un de mes amis, présent à la séance de Saint-Cloud, m'envoyoit des courriers[15] d'heure en heure : une fois il me manda que les jacobins alloient l'emporter, et je me préparai à quitter de nouveau la France ; l'instant d'après j'appris que le général Bonaparte avoit triomphé, les soldats ayant dispersé la représentation nationale[16] ; et je pleurai, non la liberté, elle n'exista jamais en France, mais l'espoir de cette liberté sans laquelle il n'y a pour ce pays que honte

9. **Le 18 fructidor** : le 4 septembre 1797. Date du coup d'État qui amena le second directoire.
10. **Moreau** : (1763-1813) : général français.
11. **Bernadotte** : (1764-1844) : maréchal de France, maréchal d'empire, devenu Roi de Suède et de Norvège, fondateur de l'actuelle dynastie de Suède.
12. **Le Conseil des Anciens** : l'une des deux assemblées de 1795 à 1799. Se prononce sur les lois élaborées par le Conseil des Cinq-Cents.
13. **Le Conseil des Cinq-Cents** : assemblée législative de 500 membres, instituée par la constitution de l'an III.
14. **Saint-Cloud** : commune au sud-ouest de Paris, ancienne résidence royale et impériale.
15. **Courriers** : messagers.
16. **La représentation nationale** : les assemblées.

et malheur. Je me sentois dans cet instant une difficulté de respirer qui est devenue depuis, je crois, la maladie de tous ceux qui ont vécu sous l'autorité de Bonaparte.

On a parlé diversement de la manière dont s'est accomplie cette révolution du 18 brumaire. Ce qu'il importe surtout, c'est d'observer dans cette occasion les traits caractéristiques de l'homme qui a été près de quinze ans le maître du continent européen. Il se rendit à la barre[17] du Conseil des Anciens, et voulut les entraîner en leur parlant avec chaleur et avec noblesse ; mais il ne sait pas s'exprimer dans le langage soutenu[18] ; ce n'est que dans la conversation familière que son esprit mordant[19] et décidé se montre à son avantage : d'ailleurs, comme il n'a d'enthousiasme véritable sur aucun sujet, il n'est éloquent que dans l'injure, et rien ne lui étoit plus difficile que de s'astreindre[20], en improvisant, au genre de respect qu'il faut pour une assemblée qu'on veut convaincre. Il essaya de dire au Conseil des Anciens : *Je suis le dieu de la guerre et de la fortune, suivez-moi.* Mais il se servoit de ces paroles pompeuses[21] par embarras, à la place de celles qu'il auroit aimé leur dire : *Vous êtes tous des misérables, et je vous ferai fusiller si vous ne m'obéissez pas.*

Le 19 brumaire, il arriva dans le Conseil des Cinq-Cents, les bras croisés, avec un air très sombre, et suivi de deux grands grenadiers[22] qui protégeoient sa petite stature[23]. Les députés appelés jacobins poussèrent des hurlements en le voyant entrer dans la salle ; son frère Lucien[24], bien heureusement pour lui, étoit alors président ; il agitoit en vain la sonnette pour rétablir l'ordre ; les cris de *traître* et d'*usurpateur* se faisoient entendre de toutes parts ; et l'un des députés, compatriote de Bonaparte, le corse Aréna, s'approcha de ce général et le secoua fortement par le collet de son habit. On a supposé, mais sans fondement, qu'il avoit un poignard pour le tuer. Son action cependant effraya Bonaparte, et il dit aux grenadiers qui étoient à côté de lui, en laissant tomber sa tête sur l'épaule de l'un d'eux : *Tirez-moi d'ici.* Les grenadiers l'enlevèrent du milieu des députés qui l'entouroient : ils le portèrent hors de la salle en plein air ; et, dès qu'il y fut, sa présence d'esprit lui revint. Il monta à

---

17. **La barre :** la barrière ou le pupitre d'où l'orateur s'adresse à l'assemblée.
18. **Langage soutenu :** langue riche et soignée.
19. **Mordant :** vif, piquant.
20. **S'astreindre :** s'obliger.

21. **Pompeuses :** prétentieuses et ridicules.
22. **Grenadiers :** soldats à bonnet à poils.
23. **La stature :** la taille.
24. **Lucien Bonaparte** (1775-1840) : frère de Napoléon Bonaparte, président du Conseil des Cinq-Cents.

cheval à l'instant même ; et, parcourant les rangs de ses grenadiers, il les détermina bientôt à ce qu'il vouloit d'eux.

Dans cette circonstance, comme dans beaucoup d'autres, on a remarqué que Bonaparte pouvoit se troubler quand un autre danger que celui de la guerre étoit en face de lui, et quelques personnes en ont conclu bien ridiculement qu'il manquoit de courage. Certes, on ne peut nier son audace ; mais, comme il n'est rien, pas même brave, d'une façon généreuse, il s'ensuit qu'il ne s'expose jamais que quand cela peut être utile. Il seroit très fâché d'être tué, parce que c'est un revers[25], et qu'il veut en tout du succès ; il en seroit aussi fâché, parce que la mort déplaît à son imagination : mais il n'hésite pas à hasarder sa vie, lorsque, suivant sa manière de voir, la partie vaut le risque de l'enjeu, s'il est permis de s'exprimer ainsi.

Après que le général Bonaparte fut sorti de la salle des Cinq-Cents, les députés qui lui étoient opposés demandèrent avec véhémence[26] qu'il fût mis hors la loi, et c'est alors que son frère Lucien, président de l'assemblée, lui rendit un éminent service en se refusant, malgré toutes les instances[27] qu'on lui faisoit, à mettre cette proposition aux voix. S'il y avoit consenti, le décret[28] auroit passé, et personne ne peut savoir l'impression que ce décret eût encore produite sur les soldats : ils avoient constamment abandonné depuis dix ans ceux de leurs généraux que le pouvoir législatif avoit proscrits[29], et, bien que la représentation nationale eût perdu son caractère de légalité par le 18 fructidor, la ressemblance des mots l'emporte souvent sur la diversité des choses. Le général Bonaparte se hâta d'envoyer la force armée prendre Lucien pour le mettre en sûreté hors de la salle ; et, dès qu'il fut sorti, les grenadiers entrèrent dans l'orangerie[30], où les députés étoient rassemblés, et les chassèrent en marchant en avant d'une extrémité de la salle à l'autre, comme s'il n'y avoit eu personne. Les députés repoussés contre le mur furent forcés de s'enfuir par la fenêtre dans les jardins de Saint-Cloud avec leur toge sénatoriale[31]. On avoit déjà proscrit des représentants du peuple en France ; mais c'étoit la première fois depuis la révolution qu'on rendoit l'état civil ridicule en présence de l'état militaire ; et Bonaparte, qui vouloit

25. **Un revers :** un échec.
26. **Avec véhémence :** avec violence et passion.
27. **Instances :** prières, demandes pressantes.
28. **Décret :** décision qui a valeur de loi.

29. **Proscrits :** bannis.
30. **Orangerie :** grande salle où se réunit l'assemblée.
31. **La toge sénatoriale :** la robe d'apparat des sénateurs.

fonder son pouvoir sur l'avilissement[32] des corps[33] aussi bien que sur celui des individus, jouissoit d'avoir su, dès les premiers instants, détruire la considération des députés du peuple. Du moment que la force morale de la représentation nationale étoit anéantie, un corps législatif quel qu'il fût, n'offroit aux yeux des militaires qu'une réunion de cinq cents hommes beaucoup moins forts et moins dispos[34] qu'un bataillon du même nombre, et ils ont toujours été prêts depuis, si leur chef le commandoit, à redresser les diversités d'opinion comme des fautes de discipline.

Dans les Comités des Cinq-Cents, en présence des officiers de sa suite et de quelques amis des directeurs, le général Bonaparte tint un discours qui fut imprimé dans les journaux du temps. Ce discours offre un rapprochement singulier[35] et que l'histoire doit recueillir. *Qu'ont-ils fait,* dit-il, en parlant des directeurs, *de cette France que je leur ai laissée si brillante ? Je leur avois laissé la paix, et j'ai retrouvé la guerre ; je leur avois laissé des victoires, et j'ai retrouvé des revers. Enfin, qu'ont-ils fait de cent mille François que je connaissois tous, mes compagnons d'armes, et qui sont morts maintenant ?* Puis terminant tout à coup sa harangue[36] d'un ton plus calme, il ajouta : *Cet état de choses ne peut durer, il nous mèneroit dans trois ans au despotisme[37].* Bonaparate s'est chargé de hâter l'accomplissement de sa prédiction[38].

Mais ne seroit-ce pas une grande leçon pour l'espèce humaine, si ces directeurs, hommes très peu guerriers, se relevoient de leur poussière, et demandoient compte à Napoléon de la barrière du Rhin et des Alpes, conquise par la république ; compte des étrangers arrivés deux fois à Paris ; compte de trois millions de François qui ont péri depuis Cadix jusqu'à Moscou ; compte surtout de cette sympathie que les nations ressentoient pour la cause de la liberté en France, et qui s'est maintenant changée en aversion[39] invétérée[40]. Certes, les directeurs n'en seroient pas pour cela plus à louer ; mais on en devroit conclure que de nos jours une nation éclairée ne peut rien faire de pis que de se remettre entre les mains d'un homme. Le public a plus d'esprit qu'aucun individu maintenant, et les institutions

---

32. Avilissement : déshonneur, dégradation.
33. Les corps : les assemblées.
34. Dispos : en bonne santé.
35. Singulier : étrange.
36. Une harangue : un discours solennel.
37. Despotisme : tyrannie, autorité arbitraire.

38. Prédiction : ce qui est annoncé par anticipation.
39. Aversion : répugnance.
40. Invétérée : très forte, très marquée, très prononcée.

rallient les opinions beaucoup plus sagement que les circonstances. Si la nation françoise, au lieu de choisir ce fatal étranger, qui l'a exploitée pour son propre compte, et mal exploitée même sous ce rapport ; si la nation françoise, dis-je, alors si imposante, malgré toutes ses fautes, s'étoit constituée elle-même, en respectant les leçons que dix ans d'expérience venoient de lui donner, elle seroit encore la lumière du monde.

CONSIDÉRATIONS SUR LA RÉVOLUTION FRANCAISE.

Chateaubriand

Né à Saint-Malo en 1768, mort à Paris en 1848.

Après une adolescence en Bretagne (Combourg), il se destine à la carrière militaire que la révolution vient interrompre. Il part en Amérique en 1791, écrit un *Essai sur les révolutions,* se met au service de la monarchie, puis émigre en Angleterre. De retour à Paris, il compose *Atala* (1801), *René* (1802), et *Le Génie du christianisme* (1802), vaste apologie de la religion.

Bientôt hostile à l'empereur, Chateaubriand part vers l'orient : *Itinéraire de Paris à Jérusalem* (1811), qui lui inspire son épopée chrétienne, *Les Martyrs* (1809).

Il joue un rôle politique important à la Restauration. C'est alors que paraissent *Les Aventures du dernier Abencérage, Les Natchez* (1826), et *Le Voyage en Amérique* (1827). Refusant de se rallier à Louis-Philippe, il travaille à ses *Études historiques* (1831), rédige *La Vie de Rancé* (1844) et achève en 1841 ses *Mémoires d'outre-tombe,* vaste épopée commencée en 1809.

Préoccupé de gloire personnelle, et toujours guidé par le sens de l'honneur, Chateaubriand a inspiré le romantisme naissant.

Prise de la Bastille

Le 14 juillet[1], prise de la Bastille[2]. J'assistai, comme spectateur, à cet assaut contre quelques invalides et un timide gouverneur : si l'on eût tenu les portes fermées, jamais le peuple ne fût entré dans la forteresse. Je vis tirer deux ou trois coups de canon, non par les invalides, mais par des gardes-françaises[3], déjà montés sur les tours. De Launay[4], arraché de sa cachette, après avoir subi mille outrages, est assommé sur les marches de l'Hôtel de Ville ; le prévôt des marchands, Flesselles[5], a la tête cassée d'un coup de pistolet ; c'est ce spectacle que des béats[6] sans cœur trouvaient si beau. Au milieu de ces meurtres, on se livrait à des orgies, comme dans les troubles de Rome, sous Othon et Vitellius[7]. On promenait dans des fiacres, *les vainqueurs de la Bastille,* ivrognes heureux, déclarés conquérants au cabaret ; des prostituées et des *sans-culottes*[8] commençaient à régner, et leur faisaient escorte. Les passants se découvraient, avec le respect de la peur, devant ces héros, dont quelques-uns moururent de fatigue au milieu de leur triomphe. Les clefs de la Bastille se multiplièrent ; on en envoya à tous les niais d'importance dans les quatre parties du monde. Que de fois j'ai manqué ma fortune[9] ! Si moi, spectateur, je me fusse inscrit sur le registre des vainqueurs, j'aurais une pension[10] aujourd'hui.

Les experts accoururent à l'autopsie de la Bastille. Des cafés provisoires s'établirent sous des tentes ; on s'y pressait, comme à la foire Saint-Germain ou à Longchamp[11], de nombreuses voitures défilaient ou s'arrêtaient au pied des tours, dont on précipitait les pierres parmi les tourbillons de poussière. Des femmes élégamment parées, des jeunes gens à la mode, placés sur différents degrés des décombres gothiques, se mêlaient aux ouvriers demi-nus qui démolissaient les murs, aux acclamations de la foule. À ce rendez-vous se rencontraient les orateurs les plus fameux, les gens de lettres les plus connus, les peintres les plus célèbres, les acteurs et les actrices les plus renommés, les danseuses les plus en vogue[12],

---

1. **Le 14 juillet :** le 14 juillet 1789.
2. **La Bastille :** citadelle militaire et prison de Paris.
3. **Les gardes-françaises :** les soldats chargés de la garde des édifices royaux à Paris.
4. **De Launay** (1752-1794) : commandant du bataillon de la garde nationale.
5. **Le prévôt des marchands, Flesselles** (1721-1789) : l'officier civil à la tête de l'administration municipale de Paris.
6. **Béats :** niais.

7. **Othon et Vitellius :** empereurs romains qui se combattirent pour imposer leur autorité sur l'empire.
8. **Sans-culottes :** gens du peuple révolutionnaires.
9. **Fortune :** chance.
10. **Une pension :** une allocation de l'État.
11. **Saint-Germain, Longchamp :** localités situées à l'ouest de Paris.
12. **En vogue :** à la mode.

les étrangers les plus illustres, les seigneurs de la cour et les ambassadeurs de l'Europe : la vieille France était venue là pour finir, la nouvelle pour commencer.

Tout événement, si misérable ou si odieux qu'il soit en lui-même, lorsque les circonstances en sont sérieuses et qu'il fait époque, ne doit pas être traité avec légèreté[13], ce qu'il fallait voir dans la prise de la Bastille (et ce que l'on ne vit pas alors), c'était, non l'acte violent de l'émancipation[14] d'un peuple, mais l'émancipation même, résultat de cet acte.

On admira ce qu'il fallait condamner, l'accident, et l'on n'alla pas chercher dans l'avenir les destinées accomplies d'un peuple, le changement des mœurs, des idées, des pouvoirs politiques, une rénovation de l'espèce humaine, dont la prise de la Bastille ouvrait l'ère, comme un sanglant jubilé[15]. La colère brutale faisait des ruines, et sous cette colère était cachée l'intelligence[16] qui jetait parmi ces ruines les fondements du nouvel édifice.

Mais la nation qui se trompa sur la grandeur du fait matériel, ne se trompa pas sur la grandeur du fait moral : la Bastille était à ses yeux le trophée[17] de sa servitude ; elle lui semblait élevée à l'entrée de Paris, en face des seize piliers de Montfaucon[18], comme le gibet[19] de ses libertés. En rasant une forteresse d'État le peuple crut briser le joug[20] militaire, et prit l'engagement tacite de remplacer l'armée qu'il licenciait[21] : on sait quels prodiges enfanta[22] le peuple devenu soldat.

MÉMOIRES D'OUTRE-TOMBE, LIVRE V, CHAP. 8.

13. **Avec légèreté :** sans sérieux.
14. **Émancipation :** affranchissement, libération de contraintes.
15. **Jubilé :** fête (célébrant le cinquantième anniversaire d'un événement).
16. **L'intelligence :** la raison.
17. **Le trophée :** le symbole.

18. **Montfaucon :** lieu-dit de Paris où s'élevait un gibet.
19. **Gibet :** lieu où l'on pend les condamnés, potence.
20. **Le joug :** la domination.
21. **Licencier :** renvoyer, priver d'emploi.
22. **Enfanter :** produire.

Séances de l'Assemblée nationale
Robespierre

Les séances de l'Assemblée nationale[1] offraient un intérêt dont les séances de nos *chambres*[2] sont loin d'approcher. On se levait de bonne heure pour trouver place dans les tribunes encombrées. Les députés arrivaient en mangeant, causant, gesticulant ; ils se groupaient dans les diverses parties de la salle, selon leurs opinions. Lecture du procès-verbal[3] ; après cette lecture, développement du sujet convenu, ou motion[4] extraordinaire. Il ne s'agissait pas de quelque article insipide[5] de loi ; rarement une destruction manquait d'être à l'ordre du jour. On parlait pour ou contre ; tout le monde improvisait bien ou mal. Les débats devenaient orageux ; les tribunes se mêlaient à la discussion, applaudissaient et glorifiaient, sifflaient et huaient les orateurs. Le président agitait sa sonnette ; les députés s'apostrophaient[6] d'un banc à l'autre. Mirabeau le jeune[7] prenait au collet son compétiteur[8] ; Mirabeau l'aîné[9] criait : « Silence aux *trente voix*[10] ! » Un jour, j'étais placé derrière l'opposition royaliste ; j'avais devant moi un gentilhomme dauphinois, noir de visage, petit de taille, qui sautait de fureur sur son siège, et disait à ses amis : « Tombons, l'épée à la main, sur ces gueux-là. » Il montrait le côté de la majorité. Les dames de la Halle, tricotant dans les tribunes, l'entendirent, se levèrent et crièrent, toutes à la fois, leurs chausses à la main, l'écume à la bouche : « À la lanterne[11] ! » Le vicomte de Mirabeau, Lautrec et quelques jeunes nobles voulaient donner l'assaut aux tribunes.

Bientôt ce fracas était étouffé par un autre ; des pétitionnaires, armés de piques, paraissaient à la barre : « Le peuple meurt de faim », disaient-ils ; « il est temps de prendre des mesures contre les aristocrates et de s'élever *à la hauteur des circonstances*[12]. » Le président assurait ces citoyens de son respect : « On a l'œil sur les traîtres », répondait-il, « et l'Assemblée fera justice. » Là-dessus,

---

1. **Assemblée nationale :** Chambre des députés, Assemblée législative, Parlement.
2. **Chambres :** les différents conseils et assemblées.
3. **Procès-verbal :** acte écrit officiel annonçant le programme de la séance.
4. **Motion :** proposition faite par un député ou un groupe parlementaire.
5. **Insipide :** ennuyeux.
6. **S'apostropher :** s'interpeller brusquement.
7. **Mirabeau le jeune** (1754-1792) : vicomte de Mirabeau, dit Mirabeau-tonneau, député de la noblesse.

8. **Compétiteur :** adversaire.
9. **Mirabeau l'aîné** (1749-1791) : comte de Mirabeau, frère du précédent, député du Tiers-État.
10. **Les trente voix :** allusion au gouvernement oligarchique imposé par les Spartiates à Athènes (vers 404 av. J.-C.). Ce conseil tyrannique annula la démocratie.
11. **« À la lanterne ! » :** refrain révolutionnaire demandant qu'on pende les aristocrates à la corde d'un réverbère.
12. **S'élever à la hauteur des circonstances :** se montrer capable de faire face.

nouveau vacarme : les députés de droite s'écriaient qu'on allait à l'anarchie ; les députés de gauche[13] répliquaient que le peuple était libre d'exprimer sa volonté, qu'il avait le droit de se plaindre des fauteurs[14] du despotisme, assis jusque dans le sein de la représentation nationale[15] : ils désignaient ainsi leurs collègues à ce peuple souverain[16], qui les attendait au réverbère.

Les séances du soir l'emportaient en scandale sur les séances du matin : on parle mieux et plus hardiment à la lumière des lustres. La salle du Manège était alors une véritable salle de spectacle, où se jouait un des plus grands drames du monde. Les premiers personnages appartenaient encore à l'ancien ordre de choses[17], leurs terribles remplaçants, cachés derrière eux, parlaient peu ou point. À la fin d'une discussion violente, je vis monter à la tribune un député d'un air commun, d'une figure grise et inanimée, régulièrement coiffé, proprement habillé comme le régisseur[18] d'une bonne maison, ou comme un notaire de village soigneux de sa personne. Il fit un rapport long et ennuyeux ; on ne l'écouta pas ; je demandai son nom : c'était Robespierre[19]. Les gens à souliers[20] étaient prêts à sortir des salons, et déjà les sabots heurtaient à la porte.

MÉMOIRES D'OUTRE-TOMBE, LIVRE V, CHAP. 13.

---

13. Députés de droite, députés de gauche : désigne les différents groupes de députés, en fonction de leur situation dans les tribunes de l'assemblée. À droite, les nobles, les modérés... et jusqu'à aujourd'hui les partis conservateurs ; à gauche le Tiers-État, les tendances plus dures, plus révolutionnaires, ...et depuis les partis progressistes.
14. Fauteurs : responsables.
15. La représentation nationale : l'Assemblée nationale.

16. Souverain : libre et indépendant.
17. L'ancien ordre de choses : l'Ancien Régime.
18. Le régisseur : l'intendant, l'administrateur.
19. Robespierre (1758-1794) : issu de la bourgeoisie, député, démocrate, se révèle véritable homme d'État. Il fut l'instigateur de la Terreur.
20. Gens à souliers : les aristocrates.

Honoré de Balzac

Né à Tours en 1799, mort à Paris en 1850.

Après des études de droit, Balzac décide de se lancer dans la littérature. Il écrit sous divers pseudonymes. S'essayant d'abord à la tragédie, il ne convainc personne avec son *Cromwell*. Il fait une tentative catastrophique dans les affaires et retourne à la littérature pour payer ses dettes.

Les Chouans, publié en 1829, lui fait connaître le succès. En 1830, ses premières *Scènes de la vie privée* marquent son opposition au romantisme d'alors. C'est en 1835 qu'il inaugure le principe du retour des personnages avec *Le Père Goriot*. Forçat de l'écriture, il signe en 1841 un accord avec quatre éditeurs pour mener à bien son énorme entreprise, *La Comédie humaine* : 91 textes au lieu des 137 prévus, 2 000 personnages. Le plan définitif est donné en 1845.

Il échoue aux élections législatives de 1848 ct à l'entrée à l'Académie française. Les projets se bousculent.

Balzac, à bout de forces, meurt le 18 août 1850.

L'embuscade[1]

Dans les premiers jours de l'an VIII, au commencement de vendémiaire (fin septembre 1799), une troupe de soldats républicains est en marche, traversant la Bretagne, de Fougères à Mayence. La paix est revenue dans cette région depuis trois ans. Pourtant la lutte semble reprendre.
Les Chouans ont tendu une embuscade au contingent en marche.

La victoire aurait pu rester indécise pendant des heures entières, ou la lutte se serait terminée faute de combattants. Bleus[2] et Chouans[3] déployaient une égale valeur. La furie allait croissant de part et d'autre, lorsque dans le lointain un tambour résonna faiblement ; et, d'après la direction du bruit, le corps[4] qu'il annonçait devait traverser la vallée du Couesnon[5].

— C'est la garde nationale de Fougères[6], s'écria Gudin d'une voix forte ; Vannier l'aura rencontrée.

À cette exclamation qui parvint à l'oreille du jeune chef des Chouans et de son féroce aide de camp, les royalistes firent un mouvement rétrograde[7], que réprima bientôt un cri bestial jeté par Marche-à-terre. Sur deux ou trois ordres donnés à voix basse par le chef et transmis par Marche-à-terre aux Chouans en bas-breton[8], ils opérèrent leur retraite avec une habileté qui déconcerta les Républicains et même leur commandant.

Au premier ordre, les plus valides des Chouans se mirent en ligne et présentèrent un front[9] respectable, derrière lequel les blessés et le reste des leurs se retirèrent pour charger leurs fusils. Puis tout à coup, avec cette agilité dont l'exemple a déjà été donné par Marche-à-terre, les blessés gagnèrent le haut de l'éminence[10] qui flanquait[11] la route à droite, et y furent suivis par la moitié des Chouans qui la gravirent lestement pour en occuper le sommet, en ne montrant plus aux Bleus que leurs têtes énergiques. Là, ils se firent un rempart des arbres, et dirigèrent les canons de leurs fusils sur le reste de l'escorte qui, d'après les commandements réitérés[12]

---

1. **Embuscade :** attaque par surprise.
2. **Les Bleus :** les républicains ; le bleu est la couleur de leur veste d'uniforme.
3. **Les Chouans :** les insurgés royalistes de l'ouest de la France, essentiellement de Bretagne et de Vendée.
4. **Corps :** unité militaire, compagnie de soldats.
5. **Le Couesnon :** fleuve qui sépare la Bretagne de la Normandie. Se jette dans la baie du Mont-Saint-Michel.

6. **Fougères :** ancienne baronnie de Bretagne, sous-préfecture d'Ille-et-Vilaine.
7. **Rétrograde :** en arrière.
8. **Bas-breton :** dialecte de la langue bretonne.
9. **Front :** rangs en ordre de bataille.
10. **Éminence :** hauteur, butte.
11. **Flanquer :** se trouver sur le côté de...
12. **Réitérés :** répétés.

de Hulot, s'était rapidement mis en ligne, afin d'opposer sur la route un front égal à celui des Chouans.

Ceux-ci reculèrent lentement et défendirent le terrain en pivotant de manière à se ranger sous le feu[13] de leurs camarades. Quand ils atteignirent le fossé qui bordait la route, ils grimpèrent à leur tour le talus élevé dont la lisière était occupée par les leurs, et les rejoignirent en essuyant bravement le feu des Républicains qui les fusillèrent avec assez d'adresse pour joncher de corps le fossé. Les gens qui couronnaient l'escarpement répondirent par un feu non moins meurtrier.

En ce moment, la garde nationale de Fougères arriva sur le lieu du combat au pas de course, et sa présence termina l'affaire. Les gardes nationaux et quelques soldats échauffés dépassaient déjà la berme[14] de la route pour s'engager dans les bois ; mais le commandant leur cria de sa voix martiale :

— Voulez-vous vous faire démolir là-bas !

Ils rejoignirent alors le bataillon de la République, à qui le champ de bataille était resté non sans de grandes pertes.

Tous les vieux chapeaux furent mis au bout des baïonnettes[15], les fusils se hissèrent, et les soldats crièrent unaniment, à deux reprises :

— Vive la République !

Les blessés eux-mêmes, assis sur l'accotement de la route, partagèrent cet enthousiasme, et Hulot pressa la main de Gérard en lui disant :

— Hein ! voilà ce qui s'appelle des lapins ?

Merle fut chargé d'ensevelir les morts dans un ravin de la route. D'autres soldats s'occupèrent du transport des blessés. Les charrettes et les chevaux des fermes voisines furent mis en réquisition, et l'on s'empressa d'y placer les camarades souffrants, sur les dépouilles des morts.

Avant de partir, la garde nationale de Fougères remit à Hulot un Chouan dangereusement blessé qu'elle avait pris au bas de la côte abrupte par où s'échappèrent les Chouans, et où il avait roulé, trahi par ses forces expirantes[16].

---

13. **Sous le feu :** sous le tir des fusils.
14. **Berme :** petit talus qui forme un chemin étroit le long de la route.

15. **Baïonnette :** lame qui se fixe au canon d'un fusil.
16. **Trahi par ses forces expirantes :** sans plus aucune force.

— Merci de votre coup de main, citoyens, dit le commandant. Tonnerre de Dieu![17] sans vous, nous pouvions passer un rude quart d'heure[18]. Prenez garde à vous ! la guerre est commencée. Adieu, mes braves.

Puis, Hulot, se tournant vers le prisonnier :

— Quel est le nom de ton général ? lui demanda-t-il.

— Le Gars.

— Qui ? Marche-à-terre ?

— Non, le Gars.

— D'où le Gars est-il venu ?

À cette question, le Chasseur du Roi[19], dont la figure rude et sauvage était abattue par la douleur, garda le silence, prit son chapelet et se mit à réciter des prières.

— Le Gars est sans doute ce jeune ci-devant à cravate[20] noire ? Il a été envoyé par le tyran et ses alliés Pitt[21] et Cobourg[22].

À ces mots, le Chouan, qui n'en savait pas si long, releva fièrement la tête :

— Envoyé par Dieu et par le Roi !

Il prononça ces paroles avec une énergie qui épuisa ses forces.

Le commandant vit qu'il était difficile de questionner un homme mourant dont toute la contenance trahissait un fanatisme obscur[23], et détourna la tête en fronçant le sourcil.

Deux soldats, amis de ceux que Marche-à-terre avait si brutalement dépêchés[24] d'un coup de fouet sur l'accotement de la route, car ils y étaient morts, se reculèrent de quelques pas, ajustèrent le Chouan, dont les yeux fixes ne se baissèrent pas devant les canons dirigés sur lui, le tirèrent à bout portant, et il tomba. Lorsque les soldats s'approchèrent pour dépouiller le mort, il cria fortement encore :

—Vive le Roi !

— Oui, oui, sournois, dit La-clef-des-cœurs, va-t'en manger de la galette chez ta bonne Vierge. Ne vient-il pas nous crier au nez vive le tyran, quand on le croit frit !

— Tenez, mon commandant, dit Beau-pied, voici les papiers du brigand.

---

17. **Tonnerre de Dieu !** : juron.
18. **Passer un rude quart d'heure** : passer un mauvais moment.
19. **Chasseur du Roi** : corps d'armée royaliste.
20. **Cravate** : étoffe nouée autour du cou, insigne de décoration.
21. **Pitt** (1759-1806) : chancelier britannique hostile à la révolution française parce qu'elle mettait l'économie en danger et provoquait l'agitation sociale. Déclara la guerre à la France dès 1793 et finança les différentes coalitions.
22. **Cobourg** (1737-1815) : Duc de Saxe-Cobourg, commandant en chef de l'armée autrichienne qui devait envahir la France en 1792.
23. **Obscur** : inexplicable.
24. **Dépêchés** : envoyés.

— Oh ! oh ! s'écria La-clef-des-cœurs, venez donc voir ce fantassin du bon Dieu qui a des couleurs sur l'estomac !

Hulot et quelques soldats vinrent entourer le corps entièrement nu du Chouan, et ils aperçurent sur sa poitrine une espèce de tatouage de couleur bleuâtre qui représentait un cœur enflammé. C'était le signe de ralliement des initiés de la confrérie du *Sacré-Cœur*[25]. Au-dessous de cette image Hulot put lire : *Marie Lambrequin*, sans doute le nom du chouan.

— Tu vois bien, La-clef-des-cœurs ! dit Beau-pied Eh bien, tu resterais cent décades[26] sans deviner à quoi sert ce fourniment-là[27].

— Est-ce que je me connais aux uniformes du pape ! répliqua La-clef-des-cœurs.

— Méchant pousse-caillou[28], tu ne t'instruiras donc jamais ! reprit Beau-pied. Comment ne vois-tu pas qu'on a promis à ce coco-là[29] qu'il ressusciterait, et qu'il s'est peint le gésier[30] pour se reconnaître.

À cette saillie[31], qui n'était pas sans fondement, Hulot lui-même ne put s'empêcher de partager l'hilarité générale. En ce moment Merle avait achevé de faire ensevelir les morts, et les blessés avaient été, tant bien que mal, arrangés dans deux charrettes par leurs camarades. Les autres soldats, rangés d'eux-mêmes sur deux files le long de ces ambulances improvisées, descendaient le revers de la montagne qui regarde le Maine[32], et d'où l'on aperçoit la belle vallée de la Pèlerine[33], rivale de celle du Couesnon. Hulot, accompagné de ses deux amis, Merle et Gérard, suivit alors lentement ses soldats, en souhaitant d'arriver sans malheur à Ernée[34], où les blessés devaient trouver des secours.

Ce combat, presque ignoré au milieu des grands événements qui se préparaient en France, prit le nom du lieu où il fut livré. Cependant il obtint quelque attention dans l'Ouest, dont les habitants occupés de cette seconde prise d'armes[35] y remarquèrent un changement dans la manière dont les Chouans recommençaient la guerre. Autrefois ces gens-là n'eussent pas attaqué des détachements[36] si considérables.

Selon les conjectures[37] de Hulot, le jeune royaliste qu'il avait aperçu devait être le Gars, nouveau général envoyé en France par

---

25. Sacré-Cœur : placés sous l'invocation du Sacré-Cœur de Jésus, symbole de son amour pour les hommes.
26. Une décade : dix jours.
27. Fourniment : matériel et vêtements.
28. Pousse-caillou : fantassin.
29. Ce coco-là : ce bonhomme-là.
30. Le gésier : l'estomac.

31. Une saillie : une boutade, un mot d'esprit.
32. Le Maine : affluent de la Loire.
33. La Pèlerine : petit fleuve.
34. Ernée : bourg de la Mayenne.
35. Prise d'armes : bataille victorieuse.
36. Détachement : troupe de soldats.
37. Conjectures : hypothèses, soupçons.

les princes[38], et qui, selon la coutume des chefs royalistes, cachait son titre et son nom sous un de ces sobriquets[39] appelés *noms de guerre*. Cette circonstance rendait le commandant aussi inquiet après sa victoire qu'au moment où il soupçonna l'embuscade, il se retourna à plusieurs reprises pour contempler le plateau de la Pèlerine qu'il laissait derrière lui, et d'où arrivait encore, par intervalles, le son étouffé des tambours de la garde nationale qui descendait dans la vallée du Couesnon en même temps que les Bleus descendaient dans la vallée de la Pèlerine.

— Y a-t-il un de vous, dit-il brusquement à ses deux amis, qui puisse deviner le motif de l'attaque des Chouans? Pour eux, les coups de fusil sont un commerce[40], et je ne vois pas encore ce qu'ils gagnent à ceux-ci. Ils auront au moins perdu cent hommes, et nous, ajouta-t-il en retroussant sa joue droite et clignant des yeux pour sourire, nous n'en avons pas perdu soixante. Tonnerre de Dieu! je ne comprends pas la spéculation[41]. Les drôles[42] pouvaient bien se dispenser de nous attaquer, nous aurions passé comme des lettres à la poste[43], et je ne vois pas à quoi leur a servi de trouer nos hommes.

Et il montra par un geste triste les deux charrettes de blessés.

— Ils auront peut-être voulu nous dire bonjour, ajouta-t-il.

— Mais, mon commandant, ils y ont gagné nos cent cinquante serins[44], répondit Merle.

— Les réquisitionnaires[45] auraient sauté comme des grenouilles dans le bois que nous ne serions pas allés les y repêcher, surtout après avoir essuyé une bordée[46], répliqua Hulot. — Non, non, reprit-il, il y a quelque chose là-dessous. Il se retourna encore vers la Pèlerine. — Tenez, s'écria-t-il, voyez?

Quoique les trois officiers fussent déjà éloignés de ce fatal plateau, leurs yeux exercés reconnurent facilement Marche-à-terre et quelques Chouans qui l'occupaient de nouveau.

LES CHOUANS, CHAP. 1er.

---

38. **Les princes :** coalitions des princes.
39. **Sobriquet :** surnom.
40. **Commerce :** échange, négociation.
41. **Spéculation :** opération, calcul pour tirer un profit.
42. **Les drôles :** hommes dont on se méfie.
43. **Passer comme une lettre à la poste :** sans la moindre difficulté.

44. **Serin :** niais, nigaud, désigne ici les conscrits.
45. **Réquisitionnaires :** soldats appelés, conscrits, recrues.
46. **Essuyer une bordée :** subir un assaut.

Alphonse de Lamartine

Né à Mâcon en 1790, mort à Paris en 1869.

Diplomate de carrière, ses débuts littéraires connaissent un immense succès. Entre 1820 et 1830, il publie *Méditations poétiques* (1820), *Nouvelles méditations poétiques* (1823), *La mort de Socrate* (1823), *Dernier chant du pèlerinage d'Harold* (1825), *Harmonies poétiques et religieuses* (1830).

Élu député en 1833, il jouit d'une immense popularité mais échoue aux élections présidentielles face à Louis-Napoléon Bonaparte. Il revient à la vie privée et publie des œuvres historiques, dont une *Histoire des Girondins,* en 1847. Ruiné et trop pauvre pour s'exiler sous le Second Empire, il écrit des romans sociaux et des récits autobiographiques : *Confidences, Graziella* et *Raphaël* en 1849, *Nouvelles confidences* en 1851, *Cours familier de littérature* en 1856, etc.

La Marseillaise

Il y avait alors un jeune officier du génie[1] en garnison à[2] Strasbourg. Son nom était Rouget de Lisle[3]. Il était né à Lons-le-Saulnier, dans ce Jura, pays de rêverie et d'énergie, comme le sont toujours les montagnes. Ce jeune homme aimait la guerre comme soldat, la Révolution comme penseur ; il charmait par les vers et par la musique les lentes impatiences de la garnison. Recherché par son double talent de musicien et de poète, il fréquentait familièrement la maison du baron de Dietrich, noble alsacien du parti constitutionnel[4], ami de La Fayette et maire de Strasbourg. La femme du baron de Dietrich, ses jeunes amies, partageaient l'enthousiasme du patriotisme et de la Révolution, qui palpitait surtout aux frontières, comme les crispations du corps menacé sont plus sensibles aux extrémités. Elles aimaient le jeune officier, elles inspiraient son cœur, sa poésie, sa musique. Elles exécutaient les premières ses pensées à peine écloses, confidentes des balbutiements de son génie.

C'était dans l'hiver de 1792. La disette[5] régnait à Strasbourg. La maison de Dietrich, opulente au commencement de la Révolution, mais épuisée de sacrifices nécessités par les calamités du temps, s'était appauvrie. Sa table frugale[6] était hospitalière pour Rouget de Lisle. Le jeune officier s'y asseyait le soir et le matin comme un fils ou un frère de la famille. Un jour qu'il n'y avait eu que du pain de munition[7] et quelques tranches de jambon fumé sur la table, Dietrich regarda de Lisle avec une sérénité triste et lui dit : « L'abondance manque à nos festins ; mais qu'importe, si l'enthousiasme ne manque pas à nos fêtes civiques et le courage aux cœurs de nos soldats ? J'ai encore une dernière bouteille de vin du Rhin dans mon cellier[8]. Qu'on l'apporte, dit-il, et buvons-la à la liberté et à la patrie ! Strasbourg doit avoir bientôt une cérémonie patriotique ; il faut que de Lisle puise dans ces dernières gouttes un de ces hymnes qui portent dans l'âme du peuple l'ivresse d'où il a jailli. » Les jeunes femmes

---

1. **Génie :** corps technique des armées, chargé des travaux et de l'entretien.
2. **En garnison à :** à la caserne de.
3. **Rouget de Lisle** (1760-1836).
4. **Parti constitutionnel :** partisan d'une monarchie constitutionnelle.
5. **La disette :** la rareté, le manque de nourriture.

6. **Table frugale :** repas simple, peu consistant.
7. **Pain de munition :** pain que l'on donne aux soldats avec leurs vivres, leurs munitions de bouche.
8. **Cellier :** lieu où l'on conserve le vin.

applaudirent, apportèrent le vin, remplirent les verres de Dietrich et du jeune officier jusqu'à ce que la liqueur fût épuisée. Il était tard. La nuit était froide. De Lisle était rêveur ; son cœur était ému, sa tête échauffée[9]. Le froid le saisit, il rentra chancelant dans sa chambre solitaire, chercha lentement l'inspiration tantôt dans les palpitations de son âme de citoyen, tantôt sur le clavier de son instrument d'artiste, composant tantôt l'air avant les paroles, tantôt les paroles avant l'air, et les associant tellement dans sa pensée, qu'il ne pouvait savoir lui-même lequel de la note ou du vers était né le premier, et qu'il était impossible de séparer la poésie de la musique et le sentiment de l'expression. Il chantait tout et n'écrivait rien.

Accablé de cette inspiration sublime[10], il s'endormit la tête sur son instrument, et ne se réveilla qu'au jour. Les chants de la nuit lui remontèrent avec peine dans la mémoire comme les impressions d'un rêve. Il les écrivit, les nota, et courut chez Dietrich. Il le trouva dans son jardin, bêchant de ses propres mains des laitues d'hiver. La femme du maire patriote n'était pas encore levée. Dietrich l'éveilla ; il appela quelques amis, tous passionnés comme lui pour la musique, et capables d'exécuter la composition de De Lisle. Une des jeunes filles accompagnait. Rouget chanta. À la première strophe les visages pâlirent, à la seconde les larmes coulèrent, aux dernières le délire de l'enthousiasme éclata. Dietrich, sa femme, le jeune officier, se jetèrent en pleurant dans les bras les uns des autres. L'hymne de la patrie était trouvé ! Hélas ! il devait être aussi l'hymne de la terreur. L'infortuné Dietrich marcha peu de mois après à l'échafaud[11], aux sons de ces notes nées à son foyer du cœur de son ami et de la voix de sa femme.

Le nouveau chant, exécuté quelques jours après à Strasbourg, vola de ville en ville sur tous les orchestres populaires. Marseille l'adopta pour être chanté au commencement et à la fin des séances de ses clubs. Les Marseillais le répandirent en France en le chantant sur leur route. De là lui vint le nom de *Marseillaise*. La vieille mère de De Lisle, royaliste et religieuse, épouvantée du retentissement de la

---

9. **Échauffée :** excitée.
10. **Sublime :** extraordinaire, débordante.

11. **L'échafaud :** lieu d'exécution, la guillotine.

voix de son fils, lui écrivait : «Qu'est-ce donc que cet hymne
révolutionnaire que chante une horde de brigands qui traverse la
France, et auquel on mêle notre nom ?» De Lisle lui-même, proscrit[12]
en qualité de fédéraliste[13], l'entendit, en frissonnant, retentir comme
une menace de mort à ses oreilles en fuyant dans les sentiers du
Jura. «Comment appelle-t-on cet hymne ? demanda-t-il à son guide.
— La *Marseillaise*», lui répondit le paysan. C'est ainsi qu'il apprit
le nom de son propre ouvrage. Il était poursuivi par l'enthousiasme
qu'il avait semé derrière lui. Il échappa à peine à la mort. L'arme
se retourne contre la main qui l'a forgée. La Révolution en démence
ne reconnaissait plus sa propre voix !

HISTOIRE DES GIRONDINS, LIVRE XVI, CHAP. 29 ET 30.

---

12. **Proscrit :** banni.
13. **Fédéraliste :** partisan de la fédération
réconciliant le Roi et la constitution.

La flotte française rentre à Brest

Français et Britanniques s'affrontent pour la maîtrise des mers. Les deux flottes se font face devant Ouessant.

C'était au lever du jour, le 1er juin 1794. Le ciel était net, le soleil éclatant, la lame houleuse[1], mais maniable[2], la valeur[3] égale des deux côtés ; plus désespérée chez les Français, plus confiante et plus calme chez les Anglais. Des cris de « Vive la République ! » et de « Vive la Grande-Bretagne ! » partirent des deux bords. Le vent roula d'une flotte à l'autre, avec les vagues, les échos des airs patriotiques des deux nations.

L'amiral anglais, au lieu d'aborder[4] en face la ligne française, obliqua sur elle, et, la coupant en deux tronçons, sépara notre gauche et la foudroya de tous ses canons, pendant que notre droite, ayant le vent contre elle, assistait immobile à l'incendie de ses vaisseaux. Jamais, dit-on, une telle ardeur de mort n'emporta les uns contre les autres les vaisseaux des deux peuples rivaux. Les bois et la voile semblaient palpiter de la même impatience du choc que les marins. Ils se heurtaient comme des béliers, rapprochés et séparés tour à tour par quelques courtes vagues. Quatre mille pièces de canon, se répondant des ponts[5] opposés, vomissaient la mitraille à portée de pistolet. Les mâts étaient hachés. Les voiles étaient en feu. Les ponts étaient jonchés de membres et de débris d'agrès[6]. Howe[7], monté sur le vaisseau *la Reine Charlotte,* combattit en personne, comme dans un grand duel, le vaisseau amiral français *la Montagne*[8]. Le vaisseau *le Jacobin*[9], par une fausse manœuvre, avait troué notre ligne et découvert ce bâtiment. La gauche française était broyée sans être vaincue. Elle avait inscrit sur ses pavillons : « La victoire ou la mort. » Le centre avait peu souffert. La nuit tomba sur ce carnage et l'interrompit.

Six vaisseaux républicains étaient séparés de la flotte et cernés par les vaisseaux de Howe. Le jour devait éclairer leur reddition[10] ou

---

1. **La lame houleuse :** la mer légèrement agitée.
2. **Maniable :** qui permet de manœuvrer.
3. **La valeur :** la vaillance, la bravoure.
4. **Aborder :** manœuvrer pour amener deux navires bord à bord.
5. **Ponts :** plate-forme ou étage d'un navire.
6. **Agrès :** matériels et accessoires de manœuvre.

7. **Howe** (1726-1799) : amiral anglais.
8. **La Montagne :** du nom du groupe de députés qui siègent sur les bancs les plus hauts de l'Assemblée, aux positions extrémistes (Barras, Marat, Desmoulin, Robespierre, etc).
9. **Le Jacobin :** du nom du club devenu l'âme du gouvernement révolutionnaire.
10. **Reddition :** capitulation.

leur incendie. L'amiral français voulait les sauver ou s'incendier avec eux. La réflexion avait modéré le représentant du peuple[11] Jean Bon Saint-André[12]. La flotte avait assez fait pour sa gloire. La victoire disputée était déjà un triomphe pour la République. Le représentant ordonna la retraite. On l'accusa de lâcheté, on voulut le jeter à la mer. Le vaisseau *la Montagne* n'était plus qu'un volcan éteint. Ce vaisseau avait reçu trois cents boulets dans ses flancs[13]. Tous ses officiers étaient blessés ou morts. Un tiers à peine de son équipage survivait. L'amiral avait eu son banc de quart[14] emporté sous lui. Tous ses canonniers étaient couchés sur leurs pièces[15]. Il en était ainsi de tous les vaisseaux engagés.

Le vaisseau *le Vengeur,* entouré par trois vaisseaux ennemis, combattait encore, son capitaine coupé en deux, ses officiers mutilés, ses marins décimés par la mitraille, ses mâts écroulés, ses voiles en cendres. Les vaisseaux anglais s'en écartaient comme d'un cadavre dont les dernières convulsions pouvaient être dangereuses, mais qui ne pouvait plus échapper à la mort. L'équipage, enivré de sang et de poudre, poussa l'orgueil du pavillon[16] jusqu'au suicide en masse. Il cloua le pavillon sur le tronçon d'un mât, refusa toute composition[17], et attendit que la vague qui remplissait la cale de minute en minute le fit sombrer sous son feu. À mesure que le vaisseau se submerge étage par étage, l'intrépide équipage lâche la bordée[18] de tous les canons de la batterie[19] que la mer allait recouvrir. Cette batterie éteinte, l'équipage remonte à la batterie supérieure et la décharge sur l'ennemi. Enfin, quand les lames[20] balayent déjà le pont, la dernière bordée éclate encore au niveau de la mer, et l'équipage s'enfonce avec le vaisseau aux cris de « Vive la République ! ».

Les Anglais, consternés d'admiration, couvrirent la mer de leurs embarcations, et en sauvèrent une grande partie. Le fils de l'illustre président Dupaty[21] qui servait sur *le Vengeur,* fut recueilli et sauvé ainsi. L'escadre rentra à Brest comme un blessé victorieux. La Convention[22] décréta qu'elle avait bien mérité de la patrie. Elle ordonna qu'un modèle du *Vengeur,* statue navale du bâtiment

---

11. **Le représentant du peuple :** chargé du commandement de la flotte française.
12. **Jean Bon Saint-André** (1749-1813) : député proche des montagnards.
13. **Flancs :** côtés.
14. **Banc de quart :** banc sur lequel on peut s'asseoir pendant son quart de veille, de service.
15. **Pièces :** canons.
16. **Pavillon :** drapeau.
17. **Toute composition :** tout compromis.

18. **Bordée :** rang de canon sur un bord.
19. **Batterie :** l'ensemble des pièces d'artillerie.
20. **Les lames :** les vagues.
21. **Dupaty** (1746-1788) : célèbre magistrat de l'ancien régime, admiré de ceux qui préparaient la révolution.
22. **La Convention :** assemblée révolutionnaire qui fonda la première république et gouverna jusqu'en 1795.

submergé, serait suspendu aux voûtes du Panthéon[23]. Les poètes Joseph Chénier[24] et Lebrun[25] l'immortalisèrent dans leurs strophes.

Le naufrage héroïque du *Vengeur* devint un des chants populaires de la patrie. Ce fut pour nos marins la *Marseillaise* de la mer.

HISTOIRE DES GIRONDINS, LIVRE 56, CHAP. 12.

23. **Le Panthéon :** monument de Paris, ancienne église que la révolution destina à recevoir les cendres de ses grands hommes.
24. **Joseph Chénier** (1764-1811) : frère cadet d'André Chénier.

25. **Lebrun** (Ponce Denis Écouchard) (1729-1807).

Alexandre Dumas

Né à Villers-Cotterêts en 1802, mort à Puys, en Seine Maritime, en 1870.

Fils d'un général d'empire, il commence une carrière de clerc de notaire. Il débute par le théâtre et, après quelques échecs cuisants, connaît le plus grand succès théâtral des années romantiques avec *La Tour de Nesle,* en 1832. Il continue et écrit de une à quatre pièces par an, dont la plus remarquable fut *Kean,* en 1836, que Sartre réadapta en 1953. Parallèlement, il s'essaie à la prose historique romancée. *Les Trois Mousquetaires* font une sortie triomphale en 1844. Puis suivent *La Reine Margot* et *Vingt Ans après* (1845), *Le Chevalier de Maison Rouge, La Dame de Montsoreau, Les deux Diane* et les débuts de *Balsamo,* en 1846. Il achève *Les Quarante-Cinq* en 1848, *Le Collier de la reine* en 1849, *La Tulipe noire* en 1850. Il commence, à 50 ans, ses *Mémoires* qu'il termine deux ans plus tard.

Poursuivi par ses créanciers, mis à l'index par l'église, il ne connaît, les dernières années de sa vie, que des échecs.

La route de Varennes

27 juin 1791 : Louis XVI et sa famille sont en fuite depuis la veille. Ils tentent de gagner les frontières de l'est.
À Paris, on apprend la trahison du roi et déjà l'information parvient en province. Drouet, prévenu, devance le cortège royal. Ce dernier vient d'arriver à Varennes, bourg de la Meuse. Mais le relais n'est pas à l'endroit prévu.

Les deux cavaliers n'échangèrent que ces paroles :
— Est-ce toi, Drouet[1] ?
— Est-ce toi, Guillaume ?
— Oui.
— Oui.
Tous deux sautèrent à bas[2] de leurs chevaux, qu'ils poussèrent vers l'écurie par la grande porte de l'auberge.
Puis, entrant dans la cuisine :
— Alerte ! cria Drouet. Qu'on prévienne tout le monde : le roi et la famille royale se sauvent ! Ils vont passer dans deux voitures ; il s'agit de les arrêter.
Puis, comme si une idée lumineuse[3] lui traversait le cerveau :
— Viens, Guillaume ! Viens ! cria-t-il.
Dans toute expédition de ce genre, il y a un homme qui prend le commandement sans que personne le lui défère[4] ; on lui obéit, on ne sait pourquoi.
Seulement, c'est à lui à répondre devant Dieu des ordres qu'il a donnés.
Drouet ordonna ; Guillaume obéit.
Tous deux s'élancèrent hors de l'hôtel.
Drouet avait songé au plus pressé, c'est-à-dire à intercepter le pont qui communiquait de la ville haute à la ville basse, où étaient les relais[5] et les hussards[6].
Le hasard — je ne trouve pas un autre mot — leur fit rencontrer une voiture chargée de meubles. Ils arrêtèrent la voiture, la

---

1. **Drouet** (1763-1824) : fils du maître de poste de Sainte-Menehould.
2. **Sauter à bas** : descendre de cheval.
3. **Une idée lumineuse** : une bonne idée.
4. **Déférer** : donner, attribuer.

5. **Relais** : lieu où l'on changeait les chevaux fatigués contre des chevaux frais.
6. **Hussards** : soldats d'un corps militaire de cavalerie légère.

conduisirent au pont et, aidés du citoyen Regnier, ils la renversèrent en travers du pont.

Le plus pressé était fait, le passage était intercepté.

En cet instant, ils entendirent répéter les cris : « Au feu ! »

Un des deux frères Leblanc courut chez l'épicier Sauce, procureur de la commune, le fit lever et le prévint de ce qui se passait.

Lui, à son tour, fit lever ses enfants et, tels qu'ils étaient, en chemise[7], nu-pieds, il les envoya crier : « Au feu ! » dans la rue Neuve et la rue Saint-Jean.

C'étaient ces cris que Drouet, Guillaume et Regnier avaient entendus en barricadant le pont.

Juste à ce moment, les postillons[8] se décidaient à descendre dans la ville.

Ils évitèrent la voûte où, nous l'avons dit, les gardes placés sur le siège se fussent brisé la tête contre le cintre[9], tournèrent l'église et s'apprêtèrent à descendre la rue de la Basse-Cour.

La petite voiture précédait la grande, comme une corvette[10], destinée à éclairer[11] sa marche, précède un vaisseau de 74[12].

À peine la petite voiture avait-elle tourné l'angle de la place pour entrer dans la rue de la Basse-Cour, que deux hommes sautaient à la bride des chevaux.

Ces deux hommes, c'étaient les frères Leblanc.

Cette première voiture, on le sait, ne contenait que mesdames Brunier et de Neuville.

Le procureur de la commune, Sauce, qui avait eu le temps de s'habiller, se présenta à la portière et demanda les passeports.

— Ce n'est pas nous qui les avons, répondit une des deux femmes, ce sont les personnes des autres voitures.

M. Sauce s'y porta aussitôt.

Une force déjà assez considérable était réunie autour de lui. Sans compter Drouet, Guillaume et Regnier, qui barricadaient le pont et allaient accourir à ce premier appel, il y avait quatre gardes nationaux[13] armés de leurs fusils : c'étaient les sieurs[14] Leblanc, Coquillard, Justin Georges, Soucin, auxquels s'étaient joints, armés

---

7. **Chemise** : vêtement de nuit.
8. **Postillons** : conducteurs de voiture à cheval.
9. **Le cintre** : la courbure intérieure d'une voûte.
10. **Une corvette** : un navire de moyenne importance, escortant des bâtiments plus importants pour en assurer la sécurité.

11. **Éclairer** : reconnaître.
12. **Vaisseau de 74** : armé de 74 canons ; en général des vaisseaux de commerce, en particulier ceux de la Compagnie des Indes.
13. **Gardes nationaux** : milice civique créée en 1789 pour le maintien de l'ordre.
14. **Sieurs** : messieurs.

de fusils de chasse, deux voyageurs logés à l'hôtel du Bras d'or, MM. Thevenin, des Islettes, et Delion, de Montfaucon.

Le procureur de la commune[15] s'approcha de la portière de la seconde voiture et, comme s'il ignorait qu'elle contînt le roi et la famille royale, il demanda :

— Qui êtes-vous ? Où allez-vous ?

— Je suis la baronne de Korff, répondit madame de Tourzel, et je vais à Francfort.

— Madame la baronne, dit Sauce, remarquera qu'elle a dévié de son chemin. Mais, ajouta-t-il, la question n'est point là. Vous avez sans doute un passeport ?

La fausse madame de Korff tira le passeport de sa poche et le présenta au procureur de la commune.

On sait déjà dans quels termes il était conçu.

Sans doute le procureur eût été pris s'il n'eût pas été prévenu[16], mais pendant cette espèce d'interrogatoire, qui n'avait duré que cinq secondes, il avait levé sa lanterne à la hauteur du visage des voyageurs et avait reconnu le roi.

Le roi, au reste, avait voulu faire une espèce de résistance.

— Qui êtes-vous ? avait-il demandé à Sauce. Quelle est votre qualité ? Êtes-vous garde national ?

— Je suis procureur de la commune, avait répondu Sauce.

Le passeport, alors, lui avait été remis.

Sauce y jeta les yeux. Puis, s'adressant, non pas au roi, mais à la fausse madame de Korff :

— Madame, dit-il, il est trop tard à cette heure pour viser un passeport[17], il est de mon devoir de ne pas vous laisser continuer votre route.

— Et pourquoi cela, Monsieur ? demanda la reine de son ton bref et impératif.

— Parce qu'il y a des risques à courir, Madame, à cause des bruits répandus en ce moment.

— Et ces bruits, quels sont-ils ?

— On parle de la fuite du roi et de la famille royale.

---

15. Procureur de la commune : officier représentant l'autorité royale.
16. « Il eût été pris s'il n'eût pas été prévenu » : passé antérieur de « être pris » et « être prévenu » = il se serait trompé sur l'authenticité du passeport s'il n'avait pas été prévenu qu'il s'agissait de la famille royale.

17. Viser un passeport : mettre un visa pour valider un passage.

Les voyageurs se turent ; la reine se rejeta en arrière.

Dans ce moment, une discussion s'élevait.

Le passeport avait été porté à l'hôtel du Bras-d'or, où on l'examinait à la lueur de deux chandelles.

Un municipal[18] fit observer que le passeport était en règle, puisqu'il était signé du roi et du ministre des Affaires étrangères.

— Oui, dit Drouet, qui venait d'arriver après avoir barricadé le pont, mais il n'est pas signé du président de l'Assemblée nationale.

Ainsi, cette grande question sociale qui se débattait depuis sept cents ans : « Y a-t-il, en France, une autorité supérieure à celle du roi ? », allait se trouver tranchée[19] dans la cuisine de l'auberge d'une petite ville perdue sur la lisière des bois de l'Argonne.

Drouet revint à la voiture.

— Madame, dit-il, s'adressant à la reine, et non à madame de Tourzel, si vous êtes vraiment madame de Korff, c'est-à-dire une étrangère, comment avez-vous assez d'influence pour vous faire escorter d'un détachement[20] de dragons[21] à Sainte-Menehould, d'un autre détachement à Clermont, et d'un détachement de hussards à Varennes ? Veuillez, je vous prie, descendre de voiture et venir vous expliquer à la municipalité.

Il y eut parmi les illustres voyageurs un moment d'hésitation. Ce fut dans ce moment que, selon Weber, le valet de chambre de la reine, Drouet porta la main sur le roi pour le presser de descendre. En ce moment aussi, le tocsin commençait à sonner[22]. [...]

Voici d'où venait l'embarras de M. Sauce : s'il laissait conduire le roi à l'hôtel de ville, il était compromis vis-à-vis de la royauté ; s'il laissait le roi dans sa voiture, il était compromis vis-à-vis des patriotes.

Il prit un terme moyen. Humblement et le chapeau bas, au milieu du bruit du tocsin, du tumulte qui commençait à courir par les rues, il s'approcha de la portière.

— Le conseil municipal, dit-il, est en train de délibérer afin de savoir si vous pouvez continuer votre route. Mais le bruit s'est répandu que c'était le roi et son auguste[23] famille que nous avions l'honneur de posséder dans nos murs. Je vous supplie, qui que vous

---

18. **Un municipal :** un agent de l'administration municipale.
19. **Trancher une question :** résoudre un problème.
20. **Un détachement :** un groupe de soldats chargé d'une mission particulière.
21. **Dragon :** soldat d'un corps militaire de cavalerie.
22. **Sonner le tocsin :** sonner les cloches de la ville pour donner l'alerte.
23. **Auguste :** respectable, vénérable.

soyez, d'accepter ma maison comme lieu de sûreté, en attendant le résultat de la délibération. Malgré nous, comme vous pouvez l'entendre, le tocsin sonne depuis un quart d'heure, l'affluence des habitants de la ville va s'augmenter de celle des campagnes voisines, et peut-être le roi, si c'est véritablement au roi que j'ai l'honneur de parler, se verrait-il exposé à des avanies[24] que nous ne pourrions prévenir, et qui nous accableraient de douleur.

Il n'y avait pas moyen de résister. Les gardes du corps, armés de leurs petits couteaux de chasse, se trouvaient à la merci[25] d'une trentaine de personnes armées de fusils, le tocsin frissonnait dans l'air et dans les cœurs. Louis XVI accepta, descendit, fit une quinzaine de pas, entra dans la boutique de Sauce avec sa femme, sa sœur, madame de Tourzel et les deux enfants.

Sauce faisait au roi toutes sortes de politesses et s'obstinait à l'appeler Votre Majesté. Le roi, au contraire, s'obstinait à soutenir qu'il était M. Durand, simple valet de chambre. La reine n'eut point le courage de supporter cette humiliation à laquelle se résignait son mari.

— Eh bien, s'écria-t-elle tout à coup, s'il est votre roi et si je suis votre reine, traitez-nous donc avec les égards qui nous sont dus.

À ces mots, le roi lui-même prend honte ; il se redresse et essaye de dire avec une certaine majesté[26] :

— Eh bien, oui, je suis le roi, et voilà la reine et mes enfants.

Mais, sous ce malheureux costume, avec ces habits d'intendant, avec cette culotte marron et ces bas gris, avec sa perruque de laquais[27], Louis XVI, déjà vulgaire sous l'habit royal, ne peut reconquérir sa dignité perdue, et il cause autant d'étonnement en disant : « Je suis le roi ! » qu'il causait de pitié en disant : « Je ne le suis pas ! ».

LA ROUTE DE VARENNES.

---

24. **Avanies** : affronts publics.
25. **Se trouver à la merci de** : être dans une situation de dépendance.

26. **Majesté** : grandeur, qui inspire le respect.
27. **Laquais** : valet.

Jules Michelet

Né à Paris en 1798, mort à Hyères en 1874.

Docteur ès lettres, agrégé, il est chargé d'enseigner la philosophie et l'histoire à l'École normale supérieure. Il est nommé chef de la section historique des Archives nationales en 1831, et entreprend, la même année, son *Histoire de France.* Six volumes (des origines à la mort de Louis XI) paraissent entre 1833 et 1844. Il aborde ensuite *L'Histoire de la Révolution française* (7 volumes entre 1847 et 1853), pour mieux comprendre la monarchie absolue. Il reprend son *Histoire de France* (de Louis XI à Louis XVI) entre 1855 et 1867. Ses cours au Collège de France (depuis 1838) sont très suivis. Destitué de toutes ses fonctions officielles après 1851, il publie des études de nature, *L'Oiseau, L'Insecte, La Mer,* donne des œuvres où il affirme sa tendresse pour l'humanité *(L'Amour, La Femme)* et publie *La Sorcière,* qui est menacé de saisie, en 1862.

Le serment du Jeu de Paume

Les députés se voyant refuser l'accès de la salle des Menus-plaisirs où ils délibèrent habituellement, au palais des Tuileries, s'installent dans la salle voisine, la salle du Jeu de Paume.

Le serment du Jeu de Paume, 20 juin 1789.

Les voilà dans le Jeu de Paume, assemblés malgré le Roi... Mais que vont-ils faire ?

N'oublions pas qu'à cette époque, l'Assemblée tout entière est royaliste, sans excepter un seul membre.

N'oublions pas qu'au 17[1], quand elle se donna le titre d'Assemblée nationale, elle cria : « Vive le Roi ! » Et quand elle s'attribua le droit de voter l'impôt déclarant illégal l'impôt perçu jusqu'alors, les opposants étaient sortis plutôt que de consacrer[2] par leur présence cette atteinte à l'autorité royale.

Le Roi, cette vieille ombre, cette superstition antique. si puissante dans la salle des États généraux[3], elle pâlit au Jeu de Paume. La misérable enceinte, toute moderne, nue, démeublée, n'a pas un seul recoin où les songes du passé puissent s'abriter encore. Règnent donc ici l'esprit pur, la raison, la justice, ce roi de l'avenir !

Ce jour, il n'y eut plus d'opposant ; l'Assemblée fut une, de pensée et de cœur. Ce fut un des modérés, Mounier[4] de Grenoble, qui proposa à l'Assemblée la déclaration célèbre : Qu'en quelque lieu qu'elle fût forcée de se réunir, là était toujours l'Assemblée nationale, *que rien ne pouvait l'empêcher* de continuer ses délibérations ; que, jusqu'à l'achèvement et l'affermissement de la constitution, elle faisait *le serment de ne se séparer jamais.*

Bailly[5] jura le premier, et prononça le serment si distinctement, si haut, que toute la foule du peuple qui se pressait au dehors, put entendre, et applaudit, dans l'ivresse de l'enthousiasme... Des cris de « Vive le Roi » s'élevèrent de l'Assemblée et du peuple... C'était

---

1. **Au 17 :** le 17 juin 1789, une partie des députés des États généraux (Tiers-État et une partie du clergé), se proclame Assemblée nationale constituante.
2. **Consacrer :** entériner, approuver.
3. **États généraux :** assemblées convoquées par le roi pour consultation sur les grands problèmes de l'État.

4. **Mounier** (1758-1806) : juge royal à Grenoble, député.
5. **Bailly** (1736-1793) : notable de l'ancien régime, président de la Constituante.

le cri de la vieille France, dans les vives émotions, et il se mêla encore au serment de la résistance. [...]

L'Assemblée refuse de se séparer, 23 juin 1789.

Le misérable petit esprit d'insolence qui menait la cour, avait fait imaginer de faire entrer les deux ordres supérieurs[6] par devant, par la grande porte, les Communes[7] par derrière, de les tenir sous un hangar, moitié à la pluie.

Le Tiers[8], ainsi humilié, sali et mouillé, serait entré tête basse, pour recevoir sa leçon.

Personne pour introduire, porte fermée, la garde au dedans.

Mirabeau au président : « Monsieur, conduisez la nation au-devant du Roi ! » Le président frappe à la porte ; les gardes du corps du dedans : « Tout à l'heure. » Le président : « Messieurs, où donc est le maître des cérémonies[9] ? » Les gardes du corps[10] : « Nous n'en savons rien. » Les députés : « Eh bien, partons, allons-nous-en ! » Enfin, le président parvient à faire venir le capitaine des gardes, qui s'en va chercher Brézé[11].

Les députés, entrant à la file, trouvent dans la salle le Clergé et la Noblesse qui, déjà en place et siégeant, semblent les attendre, comme juges... Du reste, la salle est vide. Rien de plus triste que cette salle immense, d'où le peuple est exilé.

Le Roi lut avec sa simplicité ordinaire la harangue[12] qu'on lui avait composée, ces paroles despotiques si étranges dans sa bouche. Il en sentait[13] peu la violence provocante, car il se montra surpris de l'aspect que présentait l'Assemblée. Les nobles ayant applaudi l'article qui consacrait les droits féodaux, des voix hautes et claires dirent : « Paix là ! »

Le Roi, après un moment de silence et d'étonnement, finit par un mot grave, intolérable, qui jetait le gant[14] à l'Assemblée, commençait la guerre : « Si vous m'abandonnez dans une si belle entreprise, seul, je ferai le bien de mes peuples, *seul, je me considérerai comme leur véritable représentant.* »

---

6. **Les deux ordres supérieurs** : le clergé et la noblesse.
7. **Les Communes** : le troisième ordre, c'est-à-dire les gens du commun. Le Tiers-État était composé de bourgeois, de paysans et d'artisans.
8. **Le Tiers** : Le Tiers-État.
9. **Le maître des cérémonies** : le chef du protocole.

10. **Les gardes du corps** : les officiers qui veillent à la sécurité du souverain.
11. **Brézé** (1762-1829) : grand maître des cérémonies de France.
12. **Harangue** : discours solennel.
13. **Sentir** : ressentir.
14. **Jeter le gant** : provoquer.

Et enfin : «*Je vous ordonne, Messieurs, de vous séparer tout de suite,* et de vous rendre demain matin dans les chambres affectées[15] à votre ordre, pour y reprendre vos séances.»

Le Roi sortit, la Noblesse et le Clergé suivirent. Les Communes demeurèrent assises, tranquilles, en silence.

Le maître des cérémonies entre alors et, d'une voix basse, dit au président : «Monsieur, vous avez entendu l'ordre du Roi?» — Il répondit : «L'Assemblée s'est ajournée[16] après la séance royale ; je ne puis la séparer[17] sans qu'elle en ait délibéré.» — Puis se tournant vers ses collègues voisins de lui : «Il me semble que la nation assemblée ne peut pas recevoir d'ordre.»

Ce mot fut repris admirablement par Mirabeau ; il l'adressa au maître des cérémonies ; de sa voix forte, imposante, et dans une majesté terrible, il lui lança ces paroles : «Nous avons entendu les intentions qu'on a suggérées au Roi, et vous, Monsieur, qui ne sauriez être son organe[18] auprès de l'Assemblée nationale, vous qui n'avez ici ni place, ni voix, ni droit de parler, vous n'êtes pas fait pour nous rappeler son discours... Allez dire à ceux qui vous envoient que nous sommes ici par la volonté du peuple, et qu'on ne nous en arrachera que par la puissance des baïonnettes.»

Brézé fut déconcerté, atterré ; il sentit la royauté nouvelle, et rendant à celle-ci ce que l'étiquette[19] ordonnait pour l'autre, il sortit à reculons comme on faisait devant le roi.

HISTOIRE DE LA RÉVOLUTION FRANÇAISE, LIVRE I, CHAP. 4.

---

15. **Affectées :** attribuées.
16. **L'Assemblée s'est ajournée :** elle a été renvoyée à un autre jour.
17. **Je ne puis la séparer :** je ne peux l'interrompre. L'Assemblée s'est séparée : elle n'est plus constituée.

18. **Organe :** interprète, porte-parole.
19. **L'étiquette :** le protocole, le cérémonial.

L'exécution de Louis XVI

Le 7 janvier 1793, les débats du procès de Louis XVI sont terminés. Le 17, le président de la Convention prononce la peine de mort contre Louis Capet. Le 20, l'appel au sursis est rejeté. Le roi sera exécuté le 21.

Le Roi entendit sa sentence, que le ministre de la justice lui fit lire au Temple[1], avec une remarquable fermeté. Il dormit profondément la veille de l'exécution, se réveilla à cinq heures, entendit la messe à genoux. Il resta quelque temps près du poêle, ayant peine à se réchauffer. Il exprimait sa confiance dans la justice de Dieu.

Il avait promis le soir à la Reine de la revoir au matin. Son confesseur[2] obtint de lui qu'il épargnerait aux siens cette grande épreuve. À huit heures, bien affermi[3], et muni de la bénédiction du prêtre, il sortit de son cabinet[4] et s'avança vers la troupe qui l'attendait dans la chambre à coucher. Tous avaient le chapeau sur la tête ; il s'en aperçut, demanda le sien. Il donna à Cléry[5] son anneau d'alliance[6], lui disant : « Vous remettrez ceci à ma femme et lui direz que je ne me sépare d'elle qu'avez peine. » Pour son fils il donna un cachet[7] où était l'écu[8] de France, lui transmettant, en ce sceau, l'insigne principal de la royauté.

Il voulait remettre son testament à un homme de la Commune[9]. Celui-ci, un furieux Jacques Roux, des Gravilliers, se retira, sans rien dire. Une chose qui peint le temps, c'est que ce Roux, dans son rapport, se vante d'un mot féroce qu'il ne dit point réellement : « Je ne suis ici que pour vous mener à l'échafaud[10]. » Un autre municipal[11] se chargea du testament.

On lui offrit sa redingote ; il dit : « Je n'en ai pas besoin. » Il était en habit brun culotte noire, bas blancs, gilet de molleton blanc. Il monta dans la voiture, une voiture verte. Il était au fond avec son confesseur, deux gendarmes sur le devant. Il lisait les Psaumes[12].

Il y avait peu de monde dans les rues. Les boutiques n'étaient qu'entr'ouvertes. Personne ne paraissait aux portes, ni aux fenêtres.

---

1. **Le Temple :** ancien monastère fortifié de Paris où était emprisonné le roi.
2. **Confesseur :** prêtre attitré, directeur de conscience et confident.
3. **Affermi :** assuré, renforcé.
4. **Cabinet :** petite pièce attenante à la chambre.
5. **Cléry** (1759-1809) : valet de chambre du petit Dauphin, dévoué à la famille royale.
6. **Anneau d'alliance :** bague de mariage.
7. **Un cachet :** un sceau, pour imprimer une marque personnelle.
8. **L'écu :** les armoiries, emblème symbolique de la famille royale.
9. **La Commune :** gouvernement révolutionnaire de Paris de 1789 à 1794.
10. **L'échafaud :** plate-forme où est dressée la guillotine, instrument servant à trancher la tête des condamnés à mort.
11. **Municipal :** agent civil ou militaire de l'administration municipale.
12. **Psaumes :** poèmes religieux, prières.

Il était dix heures dix minutes, lorsqu'il arriva dans la place. Sous les colonnes de la Marine étaient les commissaires de la Commune[13], pour dresser procès-verbal[14] de l'exécution. Autour de l'échafaud, on avait réservé une grande place vide, bordée de canons ; au-delà, tant que la vue pouvait s'étendre, on voyait des troupes. Les spectateurs, par conséquent, étaient extrêmement éloignés. Le Roi recommanda vivement son confesseur, et d'un ton de maître. Il descendit, se déshabilla lui-même, ôta sa cravate. Selon une relation, il aurait paru vivement contrarié de ne voir que des soldats, eût frappé du pied, crié aux tambours d'une voix terrible : « Taisez-vous ! » Puis, le roulement[15] continuant : « Je suis perdu ! je suis perdu ! »

Les bourreaux[16] voulaient lui lier les mains, et il résistait. Ils avaient l'air d'appeler et de réclamer la force. Le Roi regardait son confesseur et lui demandait conseil. Celui-ci restait muet d'horreur et de douleur. Enfin, il fit l'effort de dire : « Sire, ce dernier outrage est encore un trait de ressemblance entre Votre Majesté et le Dieu qui va être sa récompense[17]. » Il leva les yeux au ciel, ne résista plus : « Faites ce que vous voudrez, dit-il, je boirai le calice jusqu'à la lie.[18] »

Les marches de l'échafaud étaient extrêmement raides. Le roi s'appuya sur le prêtre. Arrivé à la dernière marche, il échappa, pour ainsi dire, à son confesseur, courut à l'autre bout. Il était fort rouge ; il regarda la place, attendant que les tambours cessassent un moment de battre[19]. Des voix criaient aux bourreaux : « Faites votre devoir. » Ils le saisirent à quatre, mais pendant qu'on lui mettait les sangles, il poussa un cri terrible.

Le corps, placé dans une manne[20], fut porté au cimetière de la Madeleine[21], jeté dans la chaux[22]. Mais déjà sur l'échafaud, des soldats et autres, soit outrage, soit vénération, avaient trempé leurs armes, du papier, du linge, dans le sang qui était resté. Des Anglais achetaient ces reliques du nouveau martyr.

Il y avait eu à peine sur le passage quelques faibles voix de femmes qui avaient osé crier grâce, mais après l'exécution, il y eut chez beaucoup de gens un violent mouvement de douleur. Une femme

---

13. **Commissaires de la Commune :** représentants du gouvernement de Paris.
14. **Procès-verbal :** acte juridique officiel de constatation d'un fait, *ici* de la condamnation et de l'exécution.
15. **Le roulement :** le battement de tambours.
16. **Les bourreaux :** ceux qui exécutent.
17. **Sa récompense :** son salut.
18. **Boire le calice jusqu'à la lie :** endurer jusqu'au bout.

19. **Que les tambours... de battre :** les tambours s'arrêtent au moment précis où le condamné est exécuté.
20. **Une manne :** un grand panier en osier.
21. **La Madeleine :** église de Paris commencée en 1763, restée inachevée de 1790 à 1806.
22. **Jeté dans la chaux :** on jetait les corps dans la chaux pour prévenir leur dégradation.

se jeta dans la Seine, un perruquier[23] se coupa la gorge, un libraire devint fou, un ancien officier mourut de saisissement[24]. On put voir cette chose fatale que la Royauté morte sous le déguisement de Varennes[25], avilie par l'égoïsme de Louis XVI au 10 août, venait de ressusciter par la force de la pitié et par la vertu du sang.

Le lundi matin, à l'ouverture de la séance, l'exécution faite à peine et le sang fumant encore, une lettre vint à la Convention[26], terrible dans sa simplicité, amère pour les consciences. Un homme demandait qu'on lui livrât le corps de Louis XVI, « pour l'inhumer[27] auprès de son père ». La lettre était intrépidement[28] signée de son nom.

HISTOIRE DE LA RÉVOLUTION FRANÇAISE, LIVRE IX, CHAP. 13.

23. **Perruquier :** artisan confectionneur de perruques.
24. **De saisissement :** d'émotion.
25. **Varennes :** bourg de la Meuse, où fut arrêté Louis XVI en juin 1791, alors qu'il tentait de gagner les frontières de l'est.

26. **La Convention :** assemblée révolutionnaire de la Ire république qui gouverna la France jusqu'au 26 octobre 1795.
27. **Inhumer :** enterrer.
28. **Intrépidement :** courageusement.

Victor Hugo

Né à Besançon en 1802, mort à Paris en 1885.

Alors que ses *Odes et Ballades* (1822-1828) sont encore à la charnière du classicisme et du romantisme, Victor Hugo apparaît dès 1827 comme le théoricien et chef de l'école romantique. Il se veut être « l'écho sonore » des préoccupations morales, politiques et littéraires de son siècle. Son œuvre considérable couvre tous les domaines littéraires.

Poésie : Hugo publie successivement quatre recueils lyriques : *Les Feuilles d'automne* (1831), *Les Chants du crépuscule* (1835), *Les Voix intérieures* (1837) et *Les Rayons et les Ombres* (1840). Il fait paraître, en 1853, un recueil satirique dirigé contre Napoléon III. De 1859 à 1883, il travaille sur une vaste fresque, *La Légende des siècles*. Il évoque le siège et la Commune de Paris dans *L'année terrible* (1872). *Les Quatre Vents de l'esprit* illustre tout le talent satirique et lyrique de Hugo.

Romans : l'œuvre romanesque de Hugo s'attache surtout à peindre l'épopée humaine : *Notre-Dame de Paris* (dès 1831), *Les Misérables* (1862), *Les Travailleurs de la mer* (1866), *Quatre-vingt-treize* (1874).

Théâtre : *Cromwell* (1822) dont la préface est un manifeste romantique, *Hernani* (1830) qui oppose dès sa première les romantiques et les classicistes, *Le Roi s'amuse* (1832) dont la première est interdite, *Lucrèce Borgia* (1833), *Marie Tudor* (1833), *Angelo* (1835), *Ruy Blas* (1838) et *Les Burgraves* (1843) dont l'échec détourne Hugo définitivement de la scène.

Victor Hugo fut également un homme politique d'envergure. À sa mort, on lui fit des obsèques nationales.

Le poète dans les révolutions

Mourir sans vider mon carquois !
Sans percer, sans fouler, sans pétrir dans leur fange
Ces bourreaux barbouilleurs de lois !

André Chénier, *Ïambe*.

« Le vent chasse loin des campagnes
Le gland[1] tombé des rameaux[2] verts ;
Chêne, il le bat sur les montagnes ;
Esquif[3], il le bat sur les mers.
5   Jeune homme, ainsi le sort nous presse.
Ne joins pas, dans ta folle ivresse,
Les maux du monde à tes malheurs ;
Gardons, coupables et victimes,
Nos remords pour nos propres crimes,
10   Nos pleurs pour nos propres douleurs ! »

Quoi ! mes chants sont-ils téméraires ?
Faut-il donc, en ces jours d'effroi,
Rester sourd aux cris de ses frères ?
Ne souffrir jamais que pour soi ?
15   Non, le poète sur la terre
Console, exilé volontaire,
Les tristes humains dans leurs fers[4] ;
Parmi les peuples en délire,
Il s'élance, armé de sa lyre[5],
20   Comme Orphée[6] au sein des enfers !

« Orphée aux peines éternelles
Vint un moment ravir les morts ;
Toi, sur les têtes criminelles,
Tu chantes l'hymne du remords.
25   Insensé ! quel orgueil t'entraîne ?

1. **Gland :** fruit du chêne.
2. **Rameaux :** petites branches d'arbre.
3. **Esquif :** petit bateau léger.
4. **Fers :** chaînes de prisonnier.

5. **Une lyre :** une petite harpe, symbole des poètes.
6. **Orphée :** personnage de la mythologie grecque, musicien et poète, il descendit aux enfers pour l'amour de sa femme Eurydice.

De quel droit viens-tu dans l'arène
Juger sans avoir combattu ?
Censeur[7] échappé de l'enfance,
Laisse vieillir ton innocence,
30 Avant de croire à ta vertu ! »

Quand le crime, Python[8] perfide,
Brave[9], impuni, le frein des lois,
La Muse[10] devient l'Euménide[11],
Apollon[12] saisit son carquois !
35 Je cède au Dieu qui me rassure ;
J'ignore à ma vie encor pure
Quels maux le sort veut attacher ;
Je suis sans orgueil mon étoile[13] ;
L'orage déchire la voile :
40 La voile sauve le nocher[14].

« Les hommes vont aux précipices !
Tes chants ne les sauveront pas.
Avec eux, loin des cieux propices,
Pourquoi donc égarer tes pas ?
45 Peux-tu, dès tes jeunes années,
Sans briser d'autres destinées,
Rompre la chaîne de tes jours[15] ?
Épargne ta vie éphémère[16] :
Jeune homme, n'as-tu pas de mère ?
50 Poète, n'as-tu pas d'amours ? »

Eh bien ! à mes terrestres flammes[17],
Si je meurs, les cieux vont s'ouvrir.
L'amour chaste[18] agrandit les âmes,
Et qui sait aimer sait mourir.
55 Le poète, en des temps de crime,
Fidèle aux justes qu'on opprime,

---

7. **Un censeur :** un critique, un juge.
8. **Python :** serpent monstrueux, personnage de la mythologie grecque, qui rendait des oracles à Delphes. Il fut tué par Apollon.
9. **Braver :** affronter sans peur.
10. **La Muse :** divinité des arts et des lettres.
11. **Euménide :** personnage d'une tragédie d'Échyle. Déesse vengeresse qui devient bienveillante.
12. **Apollon :** Dieu grec de la beauté, de la lumière, des arts et de la divination.

13. **Suivre son étoile :** faire confiance à son destin.
14. **Le nocher :** celui qui conduit une barque.
15. **Rompre la chaîne de tes jours :** interrompre la continuité de la vie.
16. **Éphémère :** qui est de courte durée, fragile.
17. **Flamme :** ardeur et vivacité des sentiments.
18. **Chaste :** pur, vertueux.

Célèbre, imite les héros ;
Il a, jaloux de leur martyre,
Pour les victimes une lyre,
60   Une tête pour les bourreaux !

« On dit que jadis le Poëte,
Chantant des jours encor lointains,
Savait à la terre inquiète
Révéler ses futurs destins.
65   Mais toi, que peux-tu pour le monde ?
Tu partages sa nuit profonde ;
Le ciel se voile et veut punir ;
Les lyres n'ont plus de prophète,
Et la Muse, aveugle et muette,
70   Ne sait plus rien de l'avenir ! »

Le mortel qu'un Dieu même anime
Marche à l'avenir, plein d'ardeur ;
C'est en s'élançant dans l'abîme[19]
Qu'il en sonde[20] la profondeur.
75   Il se prépare au sacrifice ;
Il sait que le bonheur du vice
Par l'innocent est expié ;
Prophète à son jour mortuaire,
La prison est son sanctuaire[21],
80   Et l'échafaud est son trépied[22] !

« Que n'es-tu né sur les rivages
Des Abbas et des Cosroës[23],
Aux rayons d'un ciel sans nuages,
Parmi le myrte[24] et l'aloès[25] !
85   Là, sourd aux maux que tu déplores,
Le poète voit ses aurores
Se lever sans trouble et sans pleurs ;

---

19. **L'abîme :** le gouffre, le précipice.
20. **Sonder :** explorer.
21. **Un sanctuaire :** un lieu sacré.
22. **Trépied :** siège à trois pieds, où étaient pratiqués les rites de divination.

23. **Les Abbas et les Cosroës :** dynasties de califes, souverains de Perse et d'Arménie.
24. **Le myrte :** petit arbre, emblème de la gloire.
25. **L'aloès :** plante des régions chaudes et désertiques.

Et la colombe[26], chère aux sages,
Porte aux vierges ses doux messages
90 Où l'amour parle avec des fleurs!»

Qu'un autre au céleste martyre
Préfère un repos sans honneur!
La gloire est le but où j'aspire;
On n'y va point par le bonheur.
95 L'alcyon[27], quand l'Océan gronde,
Craint que les vents ne troublent l'onde[28]
Où se berce son doux sommeil;
Mais pour l'aiglon, fils des orages,
Ce n'est qu'à travers les nuages
100 Qu'il prend son vol vers le soleil!

ODES ET BALLADES.

26. **La colombe**: symbole de la paix.
27. **L'alcyon**: oiseau marin fabuleux dont la
rencontre est un présage de calme et de paix.
28. **L'onde**: les flots et les vagues.

Le bois de la Saudraie

Dans les derniers jours de mai 1793, un des bataillons parisiens amenés en Bretagne fouille le bois de la Saudraie. Ils étaient moins de trois cents et le bois de la Saudraie a une sinistre et tragique réputation. C'est dans ce taillis de bouleaux, de hêtres et de chênes que la guerre civile avait commencé, dès novembre 1792. On n'y voit pas à dix pas, il n'y a pas de sentier et il y a beaucoup de ronces. Les soldats s'y enfoncent avec beaucoup de précaution.

Une embuscade était probable.

Trente grenadiers[1], détachés en éclaireurs[2] et commandés par un sergent, marchaient en avant à une assez grande distance du gros de la troupe. La vivandière[3] du bataillon les accompagnait. Les vivandières se joignent volontiers aux avant-gardes[4]. On court des dangers, mais on va voir quelque chose. La curiosité est une des formes de la bravoure féminine.

Tout à coup les soldats de cette petite troupe d'avant-garde eurent ce tressaillement connu des chasseurs qui indique qu'on touche au gîte[5]. On avait entendu comme un souffle au centre d'un fourré, et il semblait qu'on venait de voir un mouvement dans les feuilles. Les soldats se firent signe.

Dans l'espèce de guet[6] et de quête[7] confiée aux éclaireurs, les officiers n'ont pas besoin de s'en mêler ; ce qui doit être fait se fait de soi-même.

En moins d'une minute le point où l'on avait remué fut cerné ; un cercle de fusils braqués l'entoura ; le centre obscur du hallier[8] fut couché en joue[9] de tous les côtés à la fois, et les soldats, le doigt sur la détente, l'œil sur le lieu suspect, n'attendirent plus pour le mitrailler que le commandement du sergent.

Cependant la vivandière s'était hasardée à regarder à travers les broussailles, et au moment où le sergent allait crier : « Feu ! » cette femme cria :

— Halte !

1. **Grenadiers :** soldats à haut bonnet.
2. **Détachés en éclaireurs :** envoyés devant pour reconnaître la route, le terrain.
3. **Vivandière :** personne qui suivait les troupes pour vendre des vivres et des boissons aux soldats.
4. **Avant-gardes :** soldats qui précèdent le gros de la troupe, en reconnaissance.
5. **Gîte :** repère du gibier.
6. **Guet :** surveillance.
7. **Quête :** recherche.
8. **Hallier :** groupe de buissons touffus.
9. **Coucher en joue :** viser.

Et se tournant vers les soldats :

— Ne tirez pas, camarades !

Et elle se précipita dans le taillis. On l'y suivit.

Il y avait quelqu'un là en effet.

Au plus épais du fourré, au bord d'une de ces petites clairières rondes que font dans les bois les fourneaux à charbon en brûlant les racines des arbres, dans une sorte de trou de branches, espèce de chambre de feuillage, entrouverte comme une alcôve[10], une femme était assise sur la mousse, ayant au sein un enfant qui tétait et sur ses genoux les deux têtes blondes de deux enfants endormis. C'était là l'embuscade.

— Qu'est-ce que vous faites ici, vous ? cria la vivandière.

La femme leva la tête.

La vivandière ajouta furieuse :

— Êtes-vous folle d'être là !

Et elle reprit :

— Un peu plus, vous étiez exterminée !

Et, s'adressant aux soldats, la vivandière ajouta :

— C'est une femme.

— Pardine[11], nous le voyons bien ! dit un grenadier.

La vivandière poursuivit :

— Venir dans les bois se faire massacrer ! a-t-on idée de faire des bêtises comme ça !

La femme stupéfaite, effarée, pétrifiée, regardait autour d'elle, comme à travers un rêve, ces fusils, ces sabres, ces baïonnettes, ces faces farouches.

Les deux enfants s'éveillèrent et crièrent.

— J'ai faim, dit l'un.

— J'ai peur, dit l'autre.

Le petit continuait à téter.

La vivandière lui adressa la parole.

— C'est toi qui as raison, lui dit-elle.

La mère était muette d'effroi.

Le sergent lui cria :

---

10. **Une alcôve** : une chambre aménagée dans un renfoncement de mur.

11. **Pardine** : pardi ; exclamation, juron.

— N'ayez pas peur, nous sommes le bataillon[12] du Bonnet-Rouge.

La femme trembla de la tête aux pieds. Elle regarda le sergent, rude visage dont on ne voyait que les sourcils, les moustaches et deux braises qui étaient les deux yeux.

— Le bataillon de la ci-devant Croix-Rouge, ajouta la vivandière.

Et le sergent continua :

— Qui es-tu, madame ?

La femme le considérait, terrifiée. Elle était maigre, jeune, pâle, en haillons[13] ; elle avait le gros capuchon[14] des paysannes bretonnes et la couverture de laine rattachée au cou avec une ficelle. Elle laissait voir son sein nu avec une indifférence de femelle. Ses pieds, sans bas ni souliers, saignaient.

— C'est une pauvre, dit le sergent.

Et la vivandière reprit de sa voix soldatesque et féminine, douce en dessous :

— Comment vous appelez-vous ?

La femme murmura dans un bégaiement presque indistinct :

— Michelle Fléchard.

Cependant la vivandière caressait avec sa grosse main la petite tête du nourrisson.

— Quel âge a ce môme ? demanda-t-elle.

La mère ne comprit pas. La vivandière insista.

— Je vous demande l'âge de ça.

— Ah ! dit la mère, dix-huit mois.

— C'est vieux, dit la vivandière. Ça ne doit plus téter. Il faudra me sevrer[15] ça. Nous lui donnerons de la soupe.

La mère commençait à se rassurer. Les deux petits qui s'étaient réveillés étaient plus curieux qu'effrayés. Ils admiraient les plumets[16].

— Ah ! dit la mère, ils ont bien faim.

Et elle ajouta :

— Je n'ai plus de lait.

— On leur donnera à manger, cria le sergent, et à toi aussi. Mais ce n'est pas tout ça. Quelles sont tes opinions politiques ?

La femme regarda le sergent et ne répondit pas.

---

12. **Un bataillon :** une troupe armée.
13. **Haillons :** guenilles, vêtements en lambeaux.
14. **Capuchon :** coiffe, bonnet.

15. **Sevrer :** cesser d'allaiter, de nourrir au sein un bébé.
16. **Plumets :** touffe de plumes qui garnit le bonnet à poils des grenadiers.

— Entends-tu ma question ?

Elle balbutia :

— J'ai été mise au couvent toute jeune, mais je me suis mariée, je ne suis pas religieuse. Les sœurs m'ont appris à parler français. On a mis le feu au village. Nous nous sommes sauvés si vite que je n'ai pas eu le temps de mettre des souliers.

— Je te demande quelles sont tes opinions politiques.

— Je ne sais pas ça.

Le sergent poursuivit :

— C'est qu'il y a des espionnes. Ça se fusille, les espionnes. Voyons. Parle. Tu n'es pas bohémienne[17] ? Quelle est ta patrie ?

Elle continua de le regarder comme ne comprenant pas. Le sergent répéta :

— Quelle est ta patrie ?

— Je ne sais pas, dit-elle.

— Comment, tu ne sais pas quel est ton pays ?

— Ah ! mon pays[18]. Si fait.

— Eh bien, quel est ton pays ?

La femme répondit :

— C'est la métairie[19] de Siscoignard, dans la paroisse[20] d'Azé.

Ce fut le tour du sergent d'être stupéfait. Il demeura un moment pensif, puis il reprit :

— Tu dis ?

— Siscoignard.

— Ce n'est pas une patrie, ça.

— C'est mon pays.

Et la femme, après un instant de réflexion, ajouta :

— Je comprends, monsieur. Vous êtes de France, moi je suis de Bretagne.

— Eh bien ?

— Ce n'est pas le même pays.

— Mais c'est la même patrie ! cria le sergent.

La femme se borna à répondre :

— Je suis de Siscoignard.

---

17. Bohémienne : nomade, gitane.
18. Pays : compris pour « lieu, village ».
19. Une métairie : un domaine agricole, exploité en métayage.

20. La paroisse : la circonscription administrative rurale dans l'Ancien Régime. Désigne à présent une circonscription ecclésiastique.

— Va pour Siscoignard, repartit le sergent. C'est de là qu'est ta famille ?

— Oui.

— Que fait-elle ?

— Elle est toute morte. Je n'ai plus personne.

Le sergent, qui était un peu beau parleur, continua l'interrogatoire.

— On a des parents, que diable ! ou on en a eu. Qui es-tu ? Parle.

[...]

— Nous sommes des gens qui nous sauvons.

— De quel parti es-tu ?

— Je ne sais pas.

— Es-tu des bleus[21] ? Es-tu des blancs[22] ? Avec qui es-tu ?

— Je suis avec mes enfants.

Il y eut une pause. La vivandière dit :

— Moi, je n'ai pas eu d'enfants. Je n'ai pas eu le temps.

Le sergent recommença.

— Mais tes parents ! Voyons, madame, mets-nous au fait de tes parents. Moi, je m'appelle Radoub ; je suis sergent, je suis de la rue du Cherche-Midi, mon père et ma mère en étaient, je peux parler de mes parents. Parle-nous des tiens. Dis-nous ce que c'était que tes parents.

— C'étaient les Fléchard. Voilà tout.

— Oui, les Fléchard sont les Fléchard, comme les Radoub sont les Radoub. Mais on a un état[23]. Quel était l'état de tes parents ? Qu'est-ce qu'ils faisaient ? Qu'est-ce qu'ils font ? Qu'est-ce qu'ils fléchardaient[24], tes Fléchard ?

— C'étaient des laboureurs. Mon père était infirme et ne pouvait travailler à cause qu'il avait reçu des coups de bâton que le seigneur[25], son seigneur, notre seigneur, lui avait fait donner, ce qui était une bonté, parce que mon père avait pris un lapin, pour le fait de quoi on était jugé à mort ; mais le seigneur avait fait grâce et avait dit : «Donnez-lui seulement cent coups de bâton» ; et mon père était demeuré estropié[26].

— Et puis ?

---

21. **Les bleus :** les soldats républicains.
22. **Les blancs :** les royalistes.
23. **État :** état civil.
24. **Fléchardaient :** jeu de mot sur le nom propre «Fléchard», utilisé sous forme verbale, ne signifie rien, mis pour «faisaient».

25. **Le seigneur :** le propriétaire d'un domaine et maître de ceux qui y travaillent.
26. **Estropié :** infirme.

— Grenadier, dit le sergent, nous ne sommes pas ici au club[41] de la section des Piques. Pas d'éloquence.

QUATRE VINGT-TREIZE 1re PARTIE, LIVRE 1er.

41. Club : société où l'on s'entretenait de questions politiques.

— Mon grand-père était huguenot[27]. Monsieur le curé l'a fait envoyer aux galères[28]. J'étais toute petite.

— Et puis ?

— Le père de mon mari était un faux saunier[29]. Le roi l'a fait pendre.

— Et ton mari, qu'est-ce qu'il fait ?

— Ces jours-ci, il se battait.

— Pour qui ?

— Pour le roi.

— Et puis ?

— Dame, pour son seigneur.

— Et puis ?

— Dame, pour monsieur le curé.

— Sacré mille noms de noms de brutes ![30] cria un grenadier.

La femme eut un soubresaut d'épouvante.

— Vous voyez, madame, nous sommes des Parisiens, dit gracieusement la vivandière.

La femme joignit les mains et cria :

— O mon Dieu seigneur Jésus ! [...]

Cependant le sergent Radoub admonestait[31] le grenadier.

— Tais-toi. Tu as fait peur à Madame. On ne jure[32] pas devant les dames.

— C'est que c'est tout de même un véritable massacrement[33] pour l'entendement[34] d'un honnête homme, répliqua le grenadier, que de voir des Iroquois[35] de la Chine qui ont eu leur beau-père estropié par le seigneur, leur grand-père galérien par le curé et leur père pendu par le roi, et qui se battent, nom d'un petit bonhomme ![36] et qui se fichent en révolte et qui se font écrabouiller[37] pour le seigneur, le curé et le roi !

Le sergent cria :

— Silence dans les rangs !

— On se tait, sergent, reprit le grenadier ; mais ça n'empêche pas que c'est ennuyeux qu'une jolie femme comme ça s'expose à se faire casser la gueule[38] pour les beaux yeux[39] d'un calotin[40].

---

27. **Huguenot** : protestant.
28. **Galères** : navires à rame sur lesquels on envoyait les prisonniers condamnés à ramer.
29. **Un faux saunier** : une personne qui se livre à la contrebande du sel.
30. **Sacré mille noms de noms de brutes !** : juron.
31. **Admonester** : réprimander sans punir, reprocher en donnant un avertissement.
32. **Jurer** : dire des jurons, blasphémer.
33. **Massacrement** : massacre, gachis.
34. **Entendement** : la raison, l'intelligence.

35. **Iroquois** : peuple indien d'Amérique du Nord, qui luttèrent contre les Français et les Hurons dans les conflits qui opposèrent Français et Anglais en Amérique aux XVIIᵉ et XVIIIᵉ siècles.
36. **Nom d'un petit bonhomme !** : juron.
37. **Écrabouiller** : écraser.
38. **Se faire casser la gueule** : se faire battre.
39. **Pour les beaux yeux de** : pour faire plaisir à.
40. **Calotin** : partisan des prêtres.

Jules Barbey d'Aurevilly

Né à Saint-Sauveur-le-Vicomte, dans le Cotentin, en 1808, mort à Paris en 1889.

D'une famille normande de vieille souche dont la révolution vient briser les espoirs, Barbey d'Aurevilly s'installe très tôt à Paris. Il fait ses débuts dans le journalisme. Admiré pour son élégance, il publie en 1845 *Du dandysme et de George Brummel*, provocation aristocratique à la médiocrité bourgeoise. Il commence la même année *Une vieille maîtresse*. Il écrit *Le Chevalier Des Touches* en 1855, publie *Un prêtre marié* en 1865 et *Les Diaboliques* en 1874. Il connaît son premier vrai succès à 76 ans avec *Une histoire sans nom*. Tous ses récits sont chargés d'inquiétude et de fantastique.

Il rompt peu à peu avec tous les milieux littéraires. Huysmans, Bloy, Richepin, Lorrain se réclament de lui.

Le Chevalier Des Touches

« Pendant que vous pêchiez des truites en Écosse, monsieur de Fierdrap, et que mon frère, ici présent, faisait voir, dans sa personne, la grave[1] Sorbonne[2], en habit écarlate, chassant le renard, à franc étrier[3], sur les domaines de notre gracieux cousin le duc de Northumberland[4], ces demoiselles de Touffedelys, qui, en leur qualité de châtelaines très aimées des gens de leurs terres, avaient cru pouvoir se dispenser d'émigrer ainsi que moi, la dernière d'une famille nombreuse et depuis longtemps déjà dispersée, nous nous occupions, de ce côté-ci de la Manche, à bien autre chose, je vous assure, qu'à *filer nos quenouilles de lin[5]*, comme dit la vieille chanson bretonne ! Les temps paisibles, où l'on ourlait[6] des serviettes ouvrées[7] dans la salle à manger du château, n'étaient plus... Quand la France se mourait dans les guerres civiles, les rouets[8], l'honneur de la maison, devant lesquels nous avions vu, pendant notre enfance, nos mères et nos aïeules assises comme des princesses des contes de Fées, les rouets dormaient, débandés[9] et couverts de poussière, dans quelque coin du grenier silencieux. Pour parler à la manière des fileuses cotentinaises[10] : nous avions un *lanfois[11]* plus dur à peigner. Il n'y avait plus de maison[12], plus de famille, plus de pauvres à vêtir, plus de paysannes à doter[13], et la chemise rouge de Mlle de Corday[14] était tout le trousseau en espérance qu'à des filles comme nous avait laissé la République ! »

« Or, à l'époque dont je vais vous parler, monsieur de Fierdrap, la grande guerre, ainsi que nous appelions la guerre de la Vendée[15], était malheureusement finie. Henri de La Rochejaquelein[16], qui avait compté sur l'appui des populations normandes et bretonnes, avait, un beau matin, paru sous les murs de Granville[17] ; mais, défendu par la mer et ses rochers encore mieux que par les réquisitionnaires républicains, cet inaccessible perchoir aux mouettes avait tenu ferme et, de rage de ne pouvoir s'en rendre maître, La Rochejaquelein, à ce moment-là, dit-on, dégoûté de la vie, était allé briser son épée

---

1. **Grave** : solennelle, sérieuse et sévère.
2. **La Sorbonne** : faculté de Paris.
3. **À franc étrier** : à bride abattue, laissant toute liberté au cheval.
4. **Northumberland** : comté du nord de l'Angleterre.
5. **Filer nos quenouilles de lin** : laisser s'écouler le temps.
6. **Ourler** : border d'un repli une étoffe.
7. **Ouvrées** : travaillées, ouvragées, ornées de broderies, de dentelles.
8. **Un rouet** : une machine à filer les textiles.
9. **Débandés** : détendus.
10. **Cotentinaises** : du Cotentin, presqu'île normande qui s'avance dans la Manche.
11. **Lanfois** : chanvre placé sur la quenouille.
12. **Maison** : l'ensemble des gens attachés au service d'une famille.
13. **Doter** : donner un revenu à une fille pour favoriser son mariage.
14. **Mlle de Corday** (1768-1793) : assassina Marat, député de la Convention.
15. **Guerre de la Vendée** : insurrection royaliste et contre-révolutionnaire (1793-96).
16. **La Rochejaquelein** (1772-1794) : général en chef des Vendéens.

sur la porte de la ville, malgré le canon et la fusillade, puis il avait remmené ses Vendéens. Du reste, si, comme on l'avait cru d'abord, Granville n'avait pas fait de résistance, le sort de la guerre royaliste aurait-il été plus heureux ?... Nul des chefs Normands — et je les ai tous très bien connus — qui avaient, dans notre Cotentin, essayé d'organiser une Chouannerie[18] à l'instar[19] de celle de l'Anjou et du Maine[20], ne le pensait, même dans ce temps où l'inflammation des esprits rendait toute illusion facile. Pour le croire, ils jugeaient trop bien le paysan normand, qui se battrait comme un coq d'Irlande pour son fumier et dans sa basse-cour, mais à qui la Révolution, en vendant à vil prix les biens d'émigrés et les biens d'Église avait précisément offert le morceau de terre pour lequel cette race, pillarde et conservatrice à la fois, a toujours combattu, depuis sa première apparition dans l'Histoire. Vous n'êtes pas Normand pour des prunes[21], baron de Fierdrap, et vous savez, comme moi, par expérience, que le vieux sang des pirates du Nord se retrouve encore dans les veines des plus chétifs[22] de nos paysans en sabots. Le général *Télémaque*[23], comme nous disions alors, c'est-à-dire, sous son vrai nom, le chevalier de Montressel[24] qui avait été chargé par M. de Frotté d'organiser la guerre dans cette partie du Cotentin, m'a souvent répété combien il avait été difficile de faire décrocher du manteau de la cheminée[25] le fusil de ces paysans, chez qui l'amour du roi, la religion, le respect des nobles ne venaient que bien après l'amour de leur *fait*[26] et le besoin d'avoir de *quay sur la planche*[27]. «Tous les sentiments de ces gens-là sont des intérêts», me disait, dans son dépit, le chevalier, qui n'était pas de Normandie. Et il ajoutait, M. de Montressel : «Si la chair de Bleu[28] s'était vendue au prix du gibier sur les marchés de Carentan ou de Valognes[29], pas de doute que mes lambins[30] dégourdis n'en eussent bourré[31] leurs carnassières[32], et ne nous eussent abattu, à tout coin de haie, des républicains, comme ils abattaient, dans les marais de Néhou, des canards sauvages et des sarcelles[33] !»

«Et si je reviens sur tout cela, monsieur de Fierdrap, quoique vous le sachiez aussi bien que moi, c'est que vous n'étiez plus là,

17. **Granville:** ville fortifiée de la Manche, que La Rochejaquelein tenta de prendre en 1783.
18. **Chouannerie:** insurrection de «chouans», nom donné aux insurgés royalistes de l'ouest.
19. **À l'instar de:** à l'exemple de.
20. **Anjou et Maine:** provinces de l'ouest.
21. **Pour des prunes:** pour rien.
22. **Chétifs:** misérables, maigres et pauvres.
23. **Télémaque:** fils d'Ulysse et de Pénélope.
24. **Chevalier de Montressel:** grand-oncle et parrain de Barbey d'Aurevilly.
25. **Le manteau de la cheminée:** la partie au-dessus du foyer.
26. **Leur fait:** leurs affaires.
27. **«Quay sur la planche»:** de quoi faire et manger.
28. **Bleu:** soldat républicain.
29. **Carentan et Valognes:** communes du département de la Manche.
30. **Lambin:** quelqu'un de lent à agir.
31. **Bourrer:** remplir au maximum.
32. **La carnassière:** le sac du chasseur.
33. **Sarcelles:** oiseaux à pattes palmées.

vous, quand nous y étions, et que je me sens obligée, avant d'entrer dans mon histoire, de vous rappeler ce qui se passait en cette partie du Cotentin, vers la fin de 1799. Jamais, depuis la mort du Roi et de la Reine, et depuis que la guerre civile avait fait deux camps de la France, nous n'avions eu, nous autres royalistes, le courage, sinon plus abattu, au moins plus navré[34]... Le désastre de la Vendée, le massacre de Quiberon[35], la triste fin de la Chouannerie du Maine, avaient été la mort de nos plus chères espérances, et si nous tenions encore, c'était pour l'honneur ; c'était comme pour justifier la vieille parole : « On va bien loin quand on est lassé ! » M. de Frotté, qui avait refusé de reconnaître le traité de la Mabilais[36], continuait de correspondre avec les princes[37]. Des hommes dévoués passaient nuitamment[38] la mer et allaient chercher en Angleterre, pour les rapporter à la côte de France, des dépêches et des instructions. Parmi eux, il en était un qui s'était distingué entre les plus intrépides par une audace, un sang-froid et une adresse incomparables : c'était le chevalier Des Touches. »

LE CHEVALIER DES TOUCHES, CHAP. 4.

34. Navré : affligé, désolé.
35. Le massacre de Quiberon : en 1795, la tentative de débarquement d'une armée d'émigrés, avec l'aide de l'Angleterre, est arrêtée par Hoche. 748 émigrés furent fusillés.
36. Le traité de la Mabilais : signé entre les chefs vendéens et les commissaires révolutionnaires.

37. Les princes : coalition des princes étrangers et français émigrés, contre la France républicaine.
38. Nuitamment : pendant la nuit.

Hippolyte Taine

Né à Vouziers, dans les Ardennes, en 1828, mort à Paris en 1893. Normalien, il abandonne très tôt l'enseignement et passe son doctorat en 1853 avec un *Essai sur les Fables de La Fontaine.* Disciple de Spinoza et de Hegel, il donne un essai sans indulgence sur *Les Philosophes français du XIXᵉ siècle* (1857). Attiré par l'Angleterre, il publie une *Histoire de la littérature anglaise* (1864). Il applique systématiquement la méthode d'appréhension scientifique dans *Les Essais, Nouveaux Essais* et *Derniers Essais de critique et d'histoire* (1858, 1865, 1894). Il développe sa thèse d'interprétation des productions historiques par «la race, le milieu, le moment» dans *De l'intelligence* (1870) et travaille jusqu'à sa mort à sa monumentale histoire des *Origines de la France contemporaine : l'Ancien Régime* (1876), *la Révolution* (1878-1884), *le Régime moderne et l'Empire* (1893).

L'impôt

La famille royale et la noblesse dépensent beaucoup. Les impôts sont de plus en plus lourds pour les paysans et les abus deviennent insupportables pour ceux qui travaillent. Le roi a convoqué les États généraux pour régler la crise. Dans chaque village, on prépare cette consultation en rédigeant des cahiers de doléances où l'on expose ses plaintes et ses suggestions.

« Je suis misérable, parce qu'on me prend trop. On me prend trop, parce qu'on ne prend pas assez aux privilégiés[1]. Non seulement les privilégiés me font payer à leur place, mais encore ils prélèvent sur moi leurs droits ecclésiastiques et féodaux. Quand, sur mon revenu de 100 francs, j'ai donné 53 francs et au-delà au collecteur[2], il faut encore que j'en donne plus de 14 au seigneur et plus de 14 pour la dîme[3], et, sur les 18 ou 19 francs qui me restent, je dois en outre satisfaire le rat de cave[4] et le gabelou[5]. À moi seul, pauvre homme, je paye deux gouvernements : l'un ancien, local, qui aujourd'hui est absent, inutile, incommode, humiliant, et n'agit plus que par ses gênes, ses passe-droits[6] et ses taxes ; l'autre, récent, central, partout présent, qui, se chargeant seul de tous les services, a des besoins immenses et retombe sur mes maigres épaules de tout son énorme poids. » —Telles sont, en paroles précises, les idées vagues qui commencent à fermenter dans les têtes populaires, et on les retrouve à chaque page dans les cahiers[7] des États généraux[8].

« Fasse le ciel, dit un village de Normandie, que le monarque prenne entre ses mains la défense du misérable citoyen lapidé[9] et tyrannisé par les commis, les seigneurs, la justice et le clergé. » —« Sire, écrit un village de Champagne, tout ce qu'on nous envoyait de votre part c'était toujours pour avoir de l'argent. On nous faisait bien espérer que cela finirait, mais tous les ans cela devenait plus fort. Nous ne nous en prenions pas à vous, tant nous vous aimions, mais à ceux que vous employez et qui savent mieux faire leurs affaires que les vôtres. Nous croyions qu'ils vous trompaient, et nous

---

1. Les privilégiés : les deux ordres privilégiés de l'Ancien Régime, les nobles et les ecclésiastiques.
2. Le collecteur : celui qui recueille les impôts.
3. La dîme : l'impôt prélevé sur la récolte par l'Église.
4. Rat de cave : celui qui contrôlait l'impôt sur les boissons et les caves.
5. Gabelou : collecteur de la gabelle, impôt indirect sur le sel.

6. Passe-droits : faveur accordée contrairement au règlement.
7. Les cahiers : les cahiers de doléances, qui enregistraient les plaintes, les griefs...
8. Les États généraux : assemblées convoquées par le roi pour traiter des affaires de l'État.
9. Lapidé : poursuivi.

nous disions dans notre chagrin : Si notre bon roi le savait !... Nous sommes accablés d'impôts de toute sorte ; nous vous avons donné jusqu'à présent une partie de notre pain, et il va bientôt nous manquer si cela continue... Si vous voyiez les pauvres chaumières[10] que nous habitons, la pauvre nourriture que nous prenons, vous en seriez touché ; cela vous dirait mieux que nos paroles que nous n'en pouvons plus et qu'il faut nous diminuer... Ce qui nous fait bien de la peine, c'est que ceux qui ont le plus de bien payent le moins. Nous payons les tailles[11] et tout plein d'ustensiles, et les ecclésiastiques et nobles, qui ont les plus beaux biens, ne payent rien de tout cela. Pourquoi donc est-ce que ce sont les riches qui payent le moins et les pauvres qui payent le plus ? Est-ce que chacun ne doit pas payer selon son pouvoir[12] ? Sire, nous vous demandons que cela soit ainsi, parce que cela est juste... Si nous osions, nous entreprendrions de planter quelques vignes sur les coteaux ; mais nous sommes si tourmentés par les commis aux aides, que nous penserions plutôt à arracher celles qui sont plantées ; tout le vin que nous ferions serait pour eux, et il ne nous resterait que la peine. C'est un grand fléau que toute cette maltôte[13]-là, et, pour s'en sauver, on aime mieux laisser les terres en friche[14]... Débarrassez-nous d'abord des maltôtiers[15] et des gabelous ; nous souffrons beaucoup de toutes ces inventions-là ; voici le moment de les changer ; tant que nous les aurons, nous ne serons jamais heureux. Nous vous le demandons, sire, avec tous vos autres sujets[16], qui sont aussi las que nous... Nous vous demanderions encore bien d'autres choses, mais vous ne pouvez pas tout faire à la fois. » — Les impôts et les privilèges, voilà, dans les cahiers vraiment populaires, les deux ennemis contre lesquels les plaintes ne tarissent pas. « Nous sommes écrasés par les demandes de subsides[17]..., nos impositions sont au-delà de nos forces... Nous ne nous sentons pas la force d'en supporter davantage..., nous périssons terrassés par les sacrifices qu'on exige de nous... Le travail est assujetti à un taux et la vie oisive en est exempte[18]... Le plus désastreux des abus est la féodalité, et les maux qu'elle cause surpassent de beaucoup la foudre et la grêle... Impossible de subsister, si l'on continue à enlever les

---

10. **Une chaumière** : une maison rustique, à l'origine couverte de chaume.
11. **Taille** : impôt payé au seigneur par les paysans et les roturiers.
12. **Pouvoir** : possibilité.
13. **Maltôte** : imposition.
14. **Terre en friche** : terre non cultivée.

15. **Maltôtiers** : collecteurs d'impôts.
16. **Sujets** : individus gouvernés.
17. **Subsides** : sommes versées à titre d'aide ou de rémunération de services.
18. **La vie oisive en est exempte** : ceux qui ne travaillent pas en sont dispensés.

trois quarts des moissons par champart, terrage[19], etc. Le propriétaire a la quatrième partie, le décimateur[20] en prend la douzième, l'impôt la dixième, sans compter les dégâts d'un gibier innombrable qui dévore la campagne en verdure : il ne reste donc au malheureux cultivateur que la peine et la douleur. » — Pourquoi le Tiers[21] paye-t-il seul pour les routes sur lesquelles la noblesse et le clergé roulent en carosse ? Pourquoi les pauvres gens sont-ils seuls astreints à la milice[22] ? Pourquoi « le subdélégué[23] ne fait-il tirer[24] que les indéfendus et ceux qui n'ont pas de protections » ? Pourquoi suffit-il d'être le domestique d'un privilégié pour échapper au service ? — Détruisez ces colombiers[25] qui n'étaient autrefois que des volières et qui maintenant renferment parfois jusqu'à 5 000 paires de pigeons. Abolissez les droits barbares de « motte, quevaise et domaine congéable[26], sous lesquels plus de cinq cent mille individus gémissent encore en Basse-Bretagne. » — « Vous avez dans vos armées, sire, plus de trente mille serfs[27] franc-comtois[28] » ; si l'un d'eux devient officier et quitte le service avec une pension[29], il faut qu'il aille vivre dans la hutte où il est né ; sinon, lorsqu'il mourra, le seigneur prendra son pécule. Plus de prélats[30] absents, ni d'abbés commendataires[31]. « Ce n'est point à nous à payer le déficit actuel, c'est aux évêques, aux bénéficiers[32], retranchez aux princes de l'Église les deux tiers de leurs revenus. » — « Que la féodalité soit abolie. L'homme, le paysan surtout, est tyranniquement asservi sur la terre malheureuse où il languit desséché... Il n'y a point de liberté, de prospérité, de bonheur, là où les terres sont serves[33]... Abolissons les lods et ventes[34], maltôte bursale[35] et non féodale, taxe mille fois remboursée aux privilégiés. Qu'il suffise à la féodalité de son spectre de fer, sans qu'elle y joigne encore le poignard du traitant. » — Ici, et déjà depuis quelque temps, ce n'est plus le villageois qui parle ; c'est le procureur, l'avocat qui lui prête ses métaphores et ses théories. Mais l'avocat n'a fait que traduire en langage littéraire les sentiments du villageois.

LES ORIGINES DE LA FRANCE CONTEMPORAINE, LIVRE V, CHAP. 2.

---

19. **Champart et terrage** : impôts prélevés sur une partie de la récolte.
20. **Le Décimateur** : celui qui avait le droit de lever la dîme ecclésiastique.
21. **Tiers** : Tiers-État, le 3ᵉ ordre, les classes moyennes : bourgeois, artisans et paysans.
22. **La milice** : le service militaire.
23. **Le subdélégué** : le sous-délégué.
24. **Tirer** : tirer au sort pour enrôler.
25. **Colombier** : pigeonnier.
26. **Motte, quevaise et domaine congéable** : modes de concession héréditaire dans l'ancien droit breton.

27. **Serfs** : esclaves.
28. **Franc-comtois** : de Franche-Comté.
29. **Une pension** : une allocation.
30. **Prélats** : cardinaux, archevêques.
31. **Abbés commendataires** : laïcs à qui on a confié temporairement l'administration d'une abbaye.
32. **Bénéficiers** : possesseurs d'un privilège ecclésiastique.
33. **Serves** : asservies.
34. **Lods et ventes** : droits de succession, perçus par le seigneur.
35. **Maltôte bursale** : impôt exceptionnel.

Erckmann-Chatrian

Émile Erckmann né à Phalsbourg en 1822, mort à Lunéville en 1899.

Alexandre Chatrian né à Grand-Soldat en 1826, mort à Ville-momble en 1890.

Ils furent associés sous ce nom de plume de 1847 à 1889. Leur collaboration connut un premier succès en 1859 avec *L'Illustre Docteur Mathéus*. D'autres ouvrages succédèrent, groupés sous le titre *Contes et Romans populaires : Contes des bords du Rhin* (1862), *L'Ami Fritz* (1864), *Histoire d'un homme du peuple* (1865). Une autre série d'œuvres fut rassemblée sous l'appellation de *Romans nationaux : Le Fou Yégof* (1862), *Madame Thérèse* (1863), *Histoire d'un conscrit de 1813* (1864), *Waterloo* (1865) et *Histoire d'un Paysan* (1868-1870). Ils donnèrent également quelques œuvres théâtrales : *Le Juif polonais* (1869) et *Les Rantzan* (1882).

Leur attachement à l'Alsace, leur sentiment patriotique (alors que l'Alsace a été annexée par l'Allemagne en 1871) et leur talent de conteurs expliquent leur popularité.

La sentinelle[1] perdue

1796[2]

Ils étaient trente mille entre Nice[3] et Savone[4],
Au milieu des rochers que Mont-Albo[5] couronne ;
Vainqueurs à Loano[6], décimés par la faim,
La poudre leur manquait, les souliers et le pain.

5   Une nuit, à cette heure où le silence arrive,
Quand des gardes du camp retentit le qui-vive[7],
Quand le chant du clairon pour la dernière fois
Éveille les échos endormis dans les bois,
Et que tout bruit s'éteint dans l'immense étendue ;
10   À cette heure, un soldat, sentinelle perdue,
L'arme au bras, l'œil rêveur, embrassant du regard
Les feux de l'ennemi dispersés au hasard,
Songeait à la patrie !... Et par delà les cimes
Que la lune argentait au revers des abîmes[8],
15   Il lui semblait gravir, sur les flancs d'un coteau,
Le sentier qui jadis le menait au hameau ;
Puis, arrivant soudain au seuil d'une chaumière,
Il voyait deux vieillards, assis à la lumière
D'un foyer tremblotant dans le sombre réduit[9] ;
20   Et tous deux s'oubliaient au milieu de la nuit,
Tous deux, le front penché, poursuivaient ce long rêve
Qu'on appelle la vie, et que la mort achève !

Et la femme disait : « Voici bientôt un an
Qu'il n'est plus arrivé de nouvelles de Jean.
25   Nous a-t-il oubliés ? Que fait-il à cette heure ?
Dois-je encore espérer, ou faut-il que je meure
Sans revoir mon enfant ? Les riches sont heureux.
Ils gardent des enfants qui leur ferment les yeux !
Les pauvres, délaissés, meurent dans la souffrance... »

---

1. **Sentinelle** : soldat qui fait le guet, qui surveille un camp militaire ou un lieu.
2. **1796** : La campagne d'Italie doit décider du sort de la lutte contre l'Autriche. Bonaparte est nommé commandant en chef de l'armée d'Italie. Ses nombreuses victoires aboutirent au traité de Campoformio en 1797.
3. **Nice** : ville de la Côte d'Azur qui fut sous la domination du comte de Provence puis de la maison de Savoie. Française de 1793 à 1814, elle sera définitivement annexée par la France en 1860.

4. **Savone** : port d'Italie dans le golfe de Gênes, quartier général italien de Bonaparte.
5. **Mont-Albo** : mont de Sardaigne. celle-ci appartenant au Piémont.
6. **Loano** : ville côtière de Ligurie.
7. **Le qui-vive** : cri d'une sentinelle à l'approche de quelque chose de suspect, « halte ».
8. **Au revers des abîmes** : à l'inverse des gouffres, des précipices qui restent dans l'obscurité.
9. **Un réduit** : un lieu exigu, sombre et pauvre.

30 Et l'homme répondait après un long silence :
« Femme, pour être juste, il faut se souvenir !
Tu gémis de ton sort, tu devrais le bénir.
Quand je suivais mes bœufs, en sillonnant[10] la plaine,
Par la pluie et les vents, respirant avec peine,
35 Et que je me disais : « Arrive la moisson ;
Pour l'avoir, il faudra payer une rançon.
Le moine et le seigneur sont maîtres de nos terres ;
Le vin, l'huile, le blé, la gerbe[11] que tu serres,
Le sillon[12] que ta main féconde avec amour,
40 L'herbe qui sur ta faux[13] se penche tout le jour,
L'arbre, le fruit, la fleur, et toi-même et ta femme,
Le seigneur y prétend, le moine les réclame !
Toi, tu n'es rien ! Tu n'es qu'un manant[14], un vilain[15] ;
Ton lot[16], c'est le travail, et le mépris ton gain.
45 Dieu lui-même le veut ! Dès avant leur naissance,
Il donne aux uns la charge[17], aux autres la puissance. »

« Alors, les reins courbés, je sentais la sueur
Descendre lentement de mon front sur mon cœur.
Et le soir, en rentrant dans ma pauvre chaumière,
50 Quand l'enfant accourait et me criait : « Mon père ! »
Quand il me souriait et me tendait les bras,
Tout mon corps frissonnait, je me disais tout bas :
« Pauvre enfant, tu seras une bête de somme[18] ;
Ton père est un manant, il n'a pu faire un homme ! »
55 Ces temps sont loin de nous. À force de souffrir,
Le peuple s'est levé pour vaincre ou pour mourir,
Il a brisé ses fers[19]. Une France nouvelle,
La France des manants, a chassé devant elle
Les maîtres, les valets, les moines et les rois ;
60 Elle a fondé pour tous l'égalité des droits.
Et tu gémis !... Ton sort te paraît misérable !
Femme, écoute... Avant tout, il faut être équitable :

---

10. **Sillonner** : labourer.
11. **Gerbe** : botte de céréales coupées.
12. **Un sillon** : une tranchée ouverte dans la terre par la charrue.
13. **Faux** : grande lame pour couper le fourrage, les céréales.
14. **Un manant** : un paysan rustre.

15. **Un vilain** : un paysan méprisable.
16. **Ton lot** : ton sort.
17. **La charge** : les gros travaux.
18. **Une bête de somme** : une bête de charge, chevaux ou bœufs, pour les travaux des champs.
19. **Fers** : chaînes d'un prisonnier.

C'est nous, ce sont nos droits que le peuple défend.
Bien d'autres, comme nous, ont là-bas leur enfant.
65 Celui qui ne sait pas faire de sacrifice,
Qu'il reprenne son joug[20], et que Dieu le maudisse !
Car c'est la folle avoine, avide de terrain,
Qui profite de tout et ne rend pas un grain.

— Oui, dit la femme, un an !... Depuis toute une année,
70 Je suis là, misérable, infirme, abandonnée...
Lui, peut-être il est mort, sans amis, sans secours,
Mon pauvre enfant, mon fils !... ma vie et mes amours ;
Que je portais aux champs en remuant la terre,
Pour le voir et lui rire, et qui me disait : « Mère,
75 Lorsque je serai grand, je piocherai pour deux ;
Tu ne feras plus rien, nous serons bien heureux !
Mère, repose-toi. Laisse, que je t'embrasse ! »
Il m'essuyait le front, et je n'étais plus lasse.
Et le soir il voulait porter seul les hoyaux[21].
80 « Je suis fort ! » disait-il, courbant son petit dos.
Ah ! c'était le bon temps ! Que me faisaient la peine,
Les chagrins, les soucis que la misère amène,
Le moine et le seigneur qui nous prenaient le pain,
La souffrance du jour, la peur du lendemain ?...
85 Le mépris des valets, notre cœur le surmonte ;
C'est pour mon pauvre enfant que je buvais[22] la honte !
La honte et les chagrins sont bientôt effacés.
Je le voyais grandir, n'était-ce pas assez ?
Il prenait de la force, et les gens du village
90 Aux luttes de Saint-Jean[23] admiraient son courage.
Ils disaient en riant : « Jeanne, réjouis-toi,
La fille du bailli[24] va couronner le roi... »
Comme tout me revient ! Mon Dieu, quelle souffrance !

— Nous devons, dit le vieux, notre sang à la France.

---

20. **Le joug** : l'attelage des bœufs à la charrue, *ici,* assujettissement, esclavage.
21. **Hoyau** : petite houe, petite pioche.
22. **Boire** : endurer, contenir, supporter.

23. **Saint-Jean** : fête populaire du 21 juin pour l'arrivée de l'été.
24. **Le bailli** : l'officier qui rendait la justice au nom du roi.

95 C'est notre mère à tous ; elle a bâti sur nous
Sa force et sa grandeur, dont le monde est jaloux.
Les nobles autrefois allaient seuls à la guerre ;
Aujourd'hui je suis noble, et je défends ma terre.
Aurais-je moins de cœur qu'un prince ou qu'un baron ?
100 Ne serais-je Français et libre que de nom ?
Faudra-t-il envoyer un duc pour me défendre ?
La servitude[25] alors ne peut se faire attendre ;
Celui qui me défend est déjà mon seigneur,
Il prouve assez son droit en montrant plus de cœur.
105 Grâce à Dieu, nous valons toute cette noblesse ;
Mon fils combat pour moi, je n'ai point de vieillesse.
Je me retrouve en lui, je suis aux premiers rangs ;
Je frappe avec son bras les soutiens[26] des tyrans.
Gémis, si tu le veux, cesse de te contraindre !...
110 Mais Jean fait son devoir, je ne saurais te plaindre.
S'il pouvait oublier ce qu'il doit au pays,
S'il reculait jamais devant nos ennemis,
S'il désertait nos droits, s'il reniait ses pères,
Alors je verserais des larmes bien amères...
115 Je serais dégradé[27] !... Mais c'est trop discourir,
Le vieux sang du vilain ne peut se démentir.[28] »

Ainsi passait le rêve, et sur la plaine immense
Le soldat écoutait au milieu du silence :
Tout se taisait au loin ; le ciel profond et pur
120 Reposait sur les monts sa coupole d'azur ;
Les chevaux au piquet[29] hennissaient d'un ton grêle[30],
Et le cri prolongé : « Garde à toi, sentinelle ! »
S'étendait dans la nuit, comme un dernier soupir
De la brise qui tombe et semble s'assoupir.

125 Mais autour de ces feux où se gardait l'armée,
Sous l'éclair de la flamme et la pâle fumée,

---

25. **La servitude** : l'esclavage, la dépendance totale.
26. **Les soutiens** : les complices.
27. **Dégradé** : déshonoré, abaissé.
28. **Se démentir** : se désavouer, décevoir.
29. **Au piquet** : attachés.
30. **Grêle** : aigu et peu intense.

Combien d'autres rêvaient, endormis sur leurs sacs,
Ou debout et pensifs dans l'ombre des bivacs[31] !
Et combien revoyaient, au beau pays de France,
130 Le chaume[32] verdoyant où notre cœur s'élance,
La ruelle où de loin on entend aboyer
L'ami de la maison, le vieux chien du foyer,

La porte et son loquet[33], la petite fenêtre
Qu'ombrage le vieux lierre[34], — où s'incline peut-être
135 La grand'mère tremblante, appelant du regard
L'enfant qu'il faut bénir, et qui viendra trop tard !
Combien d'autres, perdus dans un rêve plus sombre,
De ces temps malheureux voyaient repasser l'ombre,
Où, durant leur jeunesse, éveillés un matin,
140 Ils avaient entendu bourdonner[35] le tocsin[36]
Sur la plaine et les monts, de village en village,
Comme on entend la nuit s'élever un orage !
Les Prussiens[37] arrivaient !... On entendait des cris :
« Aux armes, citoyens, il faut sauver Paris ! »

145 Et l'on voyait courir, comme des fourmilières[38],
Les manants, les vilains sortant de leurs tanières[39],
La hache sur l'épaule, et brandissant leurs faux
À la rouge lueur des couvents, des châteaux !
Quel temps ! quelle misère ! et depuis que d'alarmes !...
150 Les Bretons soulevés[40], le pays tout en armes[41] ;
L'Europe qui sur nous épuise ses soldats ;
La tribune qui tonne au milieu des combats ;
La patrie en danger, et la guerre civile
Qui marque les suspects, poursuit, condamne, exile,
155 Immole[42] à la vengeance, et non pas au devoir,
Les partis tour à tour renversés du pouvoir !
Que de crimes commis au nom de la justice !
Que d'esprits éminents dévoués au supplice[43] !

---

31. **Bivacs :** bivouacs, tentes de troupes en campagne.
32. **Le chaume :** la paille.
33. **Le loquet :** la fermeture.
34. **Lierre :** plante grimpant le long des murs.
35. **Bourdonner :** émettre un son grave et vibrant.
36. **Le tocsin :** sonnerie de cloches pour donner l'alerte.
37. **Prussiens :** soldats de Prusse, ancien pays de l'Allemagne du nord.
38. **Fourmilière :** multitude de fourmis qui s'agitent dans tous les sens.
39. **Une tanière :** une habitation misérable.
40. **Les Bretons soulevés :** les Chouans, insurgés royalistes et anti-révolutionnaires des régions de l'ouest.
41. **Tout en armes :** qui a pris les armes.
42. **Immoler :** sacrifier.
43. **D'esprits... supplice :** des gens remarquables, supérieurs, qui consacrent tous leurs efforts à la terreur de la révolution.

Tout saigne et se confond dans un vaste tombeau ;
Le cœur de la patrie est aux mains du bourreau !

Il le fallait, hélas ! Le soc[44] impitoyable,
En creusant son sillon, enterre dans le sable
L'ivraie[45] et le bon grain, le chardon et la fleur :
Tout périt, pour renaître ou plus grand ou meilleur !
Ne plaignons pas le sort du juste qui succombe,
Sa force et sa vertu renaissent de la tombe.
C'est au prix de son sang que la postérité
Doit recueillir un jour la sainte liberté.
Cela suffit. Qu'importe où sa cendre repose ?
Il est beau de mourir pour une juste cause.
Le reste n'est qu'un songe, et c'est avoir vécu
Que d'affirmer le droit, même en tombant vaincu.

44. **Le soc :** la lame de la charrue.
45. **L'ivraie :** la mauvaise herbe.

Jean Jaurès

Né à Castres, dans le Tarn, en 1859, mort à Paris en 1914, assassiné.

Professeur de philosophie, député du centre gauche, il est battu aux élections de 1889, revient à l'enseignement et travaille à ses thèses sur *Les Origines du socialisme allemand chez Luther, Kant, Fichte, Hegel* (1891). Député socialiste en 1893, il adhère au Parti ouvrier français, prend position pour la reconnaissance de l'innocence de Dreyfus, devient un des chefs de file du parti socialiste français (S.F.I.O.) et fonde *l'Humanité*. Son socialisme était libéral, internationaliste et pacifique. Il publia *Action socialiste* en 1899, *Études socialistes* en 1901 et *Histoire socialiste de la Révolution française* de 1901 à 1908.

La Déclaration des Droits

Préparée par Mirabeau, Mounier, Malouet, Sieyès…, la Déclaration des droits de l'homme et du citoyen fut votée par l'Assemblée nationale constituante, le 26 août 1789.

Oui, l'homme a le droit primordial d'aller et de venir, de travailler, de penser, de vivre, et de déployer en tout sens sa liberté sans autre limite que la liberté d'autrui. Oui, quand il renonce à l'isolement de l'état de nature, et qu'il accepte ou recherche les rapports sociaux, ce n'est point pour aliéner sa liberté première, c'est pour la fortifier et la garantir; et Sieyès[1], dans sa belle déduction[2] métaphysique, a le droit de dire «que l'état social favorise et augmente la liberté».

Mais, s'il en est ainsi, si l'homme doit retrouver dans l'état social et dans l'organisation politique sa liberté primitive affermie[3] et agrandie, quel est le sens, quelle est la légitimité des puissances d'autorité qui subsistent et avec lesquelles doit compter la Révolution?

Quel est, par exemple, le titre de la royauté? et à quelles profondeurs a-t-elle sa racine? Sans doute, les théoriciens révolutionnaires peuvent dire qu'elle est une heureuse combinaison, suggérée par l'expérience des siècles, pour amortir le choc des libertés rivales et assurer cette perpétuité de l'ordre, qui est la condition même de l'indépendance.

Il n'en est pas moins vrai que la royauté est ainsi réduite au rôle d'un grand expédient[4] historique: c'est la liberté des individus humains qui est première et fondamentale et c'est elle, par conséquent, s'il y avait conflit avec la royauté, qui doit l'emporter sur celle-ci. Dans la déduction de la Constituante[5], il y a toute une période métaphysique où la royauté n'est pas encore née, où on ne sait même point si elle apparaîtra, et plus d'un Constituant[6] avait hâte de retrouver l'ordre concret, l'ordre de la loi positive qui pénètre de droit naturel la réalité, mais ne l'abolit point.

Il leur semblait dangereux de créer ou de reconnaître une patrie

1. **Sieyès** (1748-1836): député de la Convention, président des Cinq-Cents, imposa un régime fort.
2. **Déduction**: conséquence tirée d'un raisonnement; conclusion.
3. **Affermie**: plus solide, plus stable.
4. **Un expédient**: un accommodement.

5. **La Constituante**: l'Assemblée nationale constituante, assemblée de 745 députés. Elle siégea de juillet 1789 à septembre 1791. Elle abolit la féodalité (4 août 1789) et adopta la Déclaration des droits de l'homme.
6. **Un Constituant**: un député.

du droit, antérieure et supérieure à l'histoire, et où les grandes institutions monarchiques n'avaient point leur foyer.

Qui sait si la liberté primitive et naturelle, se développant à nouveau dans le système social, n'allait point le bouleverser ? C'était comme une splendide nuée venue des horizons primitifs, et qui passait sur les cités éblouies et inquiètes. Aussi les modérés, Malouet[7], Mounier[8], ne cessent-ils de rappeler que la France n'est pas née d'hier, qu'elle ne sort pas du fond des bois, qu'elle ne survient pas brusquement au courant des siècles.

Mirabeau[9], effrayé un jour par la difficulté croissante de renouer la chaîne des nécessités historiques à cette première et idéale liberté naturelle, essaie d'obtenir que l'Assemblée renvoie après le vote des articles constitutionnels la définition générale des droits. Quand la Révolution aurait organisé les institutions nécessaires, elles pourrait, sans péril, donner au solide édifice[10] une sorte de consécration[11] métaphysique.

L'Assemblée résista. Elle voulait que la Déclaration des Droits fût le préambule de la Constitution. Et même dans l'ordre historique elle avait raison. Après tout, c'est le mouvement de l'histoire, c'est le progrès même de la civilisation et de la pensée qui permettraient aux hommes de s'affranchir un moment, par l'esprit, de toutes les institutions secondaires et changeantes, et d'affirmer l'idéale liberté humaine comme la mesure suprême de la valeur des sociétés.

C'est le travail des siècles, c'est l'activité scientifique et économique de la bourgeoisie qui avaient libéré l'esprit humain : et lorsque l'esprit humain, usant de cette liberté enfin conquise, recherchait et affirmait le droit naturel de l'homme, il n'abolissait point l'histoire : il en consacrait et en glorifiait les résultats.

Et il glissait, même dans les institutions léguées par les siècles, comme la monarchie, une âme de liberté héritée ainsi de l'immense effort humain. Il n'y avait donc pas contradiction insoluble du droit naturel et du droit historique, mais le difficile était de les lier. [...]

Du Port[12] disait à l'Assemblée, le 18 août : « Vous avez voulu faire une déclaration convenable à tous les hommes, à toutes les nations.

---

7. **Malouet** (1740-1814) : député élu par le Tiers-État, devient un des dirigeants du parti royaliste. Conseiller privé du roi, il émigre après le 10 août.
8. **Mounier** (1758-1806) : juge royal, député aux États généraux, promoteur du serment du Jeu de paume.

9. **Mirabeau** (1749-1791) : député du Tiers-État, à l'éloquence prestigieuse, défenseur de la monarchie constitutionnelle.
10. **L'édifice** : l'œuvre ; *ici*, la révolution.
11. **Une consécration** : un triomphe.
12. **Du Port** (1759-1798) : député, créateur du club des feuillants, se distingua dans la réorganisation de la justice.

Voilà l'engagement que vous avez pris à la face de l'Europe. » Cet engagement, c'est par la Déclaration des Droits que la Révolution l'a tenu. Chimère[13], dira-t-on, et abstraction vaine ! Non, certes, si l'on se souvient seulement, comme nous l'avons constaté avec Barnave[14], que les conditions économiques et politiques d'où sortait en France la Révolution étaient réalisées à des degrés divers dans les autres pays de l'Europe.

Il y avait une Révolution européenne inégale et latente, et le seul moyen pour la France d'ordonner[15] et d'animer cette Révolution universelle, c'était de donner en effet une formule universelle à son propre mouvement. Partout, par leur évolution historique même, les peuples de la fin du XVIIIᵉ siècle étaient prêts à revendiquer leurs droits, à affirmer la dignité de l'homme, et c'est avec un grand sens historique que la Révolution française a évoqué, par un mot d'ordre humain, une humanité toute prête. Elle ne fut jamais plus grandement et plus glorieusement réaliste qu'à l'heure même où elle affirme son haut idéal :

« Les hommes naissent et demeurent libres et égaux en droits.

« Le but de toute association politique est la conservation des droits naturels et imprescriptibles[16] de l'homme. Ces droits sont : la liberté, la propriété, la sûreté et la résistance à l'oppression.

« Le principe de toute souveraineté réside essentiellement dans la nation. Nul corps, nul individu ne peut exercer d'autorité qui n'en émane[17] expressément.

« La loi est l'expression de la volonté générale. Tous les citoyens ont le droit de concourir[18] personnellement, ou par leurs représentants, à sa formation. Elle doit être la même pour tous, soit qu'elle protège, soit qu'elle punisse. Tous les citoyens étant égaux à ses yeux, sont également admissibles à toutes dignités, places et emplois, selon leur capacité, et sans autre distinction que celle de leurs vertus et de leurs talents. »

HISTOIRE SOCIALISTE DE LA RÉVOLUTION FRANÇAISE.
LA CONSTITUANTE, CHAP. 3

---

13. **Chimère :** utopie, projet séduisant mais irréalisable.
14. **Barnave** (1761-1793) : député, partisan d'une monarchie constitutionnelle. Décapité sous la Terreur.

15. **Ordonner :** organiser et commander.
16. **Imprescriptibles :** dont on ne peut être privé.
17. **Émaner :** provenir.
18. **Concourir :** participer.

Anatole France

Né à Paris en 1844, il meurt au domaine de la Béchellerie à Saint-Cyr-sur-Loire, en 1924.

La production d'Anatole France est considérable. *Poèmes dorés*, tentative poétique parnassienne (1873), *Les Noces corinthiennes*, drame antique d'après Goethe (1876), *Jocaste* et *Le Chat maigre*, deux nouvelles de 1879, sont des œuvres un peu à part. *L'Étui de nacre* (1892), *La Rôtisserie de la reine Pédauque* (1893), cinq volumes de *La Vie littéraire* réunissant ses articles de critique, plusieurs volumes de *l'Histoire contemporaine* qui décrit la société française à l'époque de l'affaire Dreyfus, tous ces titres témoignent de la richesse et de la diversité de son œuvre.

Sa production d'écrits politiques et sociaux est tout aussi considérable : *Opinions sociales* (1902), *Vers les temps meilleurs* (1909), *Pierre Nozière* (1899), *L'Affaire Crainquebille* (1902), *L'Ile des pingouins* (1908), *La Révolte des anges* (1914) et *Les Dieux ont soif* (1912), ces deux derniers ouvrages dénonçant le danger des mystiques révolutionnaires.

Il est élu à l'Académie française en 1896 et reçoit le prix Nobel de littérature en 1921.

Mémoires d'un volontaire

Dénoncé plusieurs fois comme conspirateur à cause de la correspondance que j'entretenais avec M. de Puybonne, j'étais sans cesse menacé de perdre la liberté et la vie.

N'ayant plus de carte de civisme[1] et n'osant en demander de peur d'être mis aussitôt en état d'arrestation, l'existence n'était plus supportable pour moi.

On faisait alors la réquisition de douze cent mille hommes, depuis l'âge de dix-huit ans jusqu'à vingt-cinq. Je me fis inscrire. Le 7 brumaire an II[2], à six heures du matin, je pris la route de Nancy, pour rejoindre mon régiment. Le bonnet de police sur la tête, sac au dos, vêtu d'une carmagnole[3], je me trouvais un air assez martial[4].

De temps en temps je me retournais vers la grand-ville où j'avais tant souffert et tant aimé. Puis je reprenais mon chemin en essuyant une larme. Je m'avisai de chanter pour me donner du cœur et j'entonnai l'hymne des Marseillais :

Allons, enfants de la Patrie !

À la première étape, je présentai ma feuille de route[5] à des paysans qui m'envoyèrent coucher à l'étable, dans la paille. J'y dormis d'un sommeil délicieux. Et je songeai, en me réveillant :

« Voilà qui est bien. Je ne risque plus d'être guillotiné. Il me semble que je n'aime plus Amélie ; ou plutôt, il me semble que je ne l'ai jamais aimée. Je vais avoir un sabre et un fusil. Je n'aurai plus à craindre que les balles des Autrichiens. Brindamour et Trompelamort[6] ont raison : il n'est pas de plus beau métier que celui de soldat. Mais qui l'eût dit, quand j'étudiais le latin sous les pommiers en fleur de M. l'abbé Lamadou, qu'un jour je défendrais la République ? Ah ! monsieur Féval, qui l'eût dit que le petit Pierre votre élève s'en irait en guerre ? »

À l'étape suivante, une bonne femme me coucha dans des draps blancs, parce que je ressemblais à son fils.

Je logeai le lendemain chez une chanoinesse[7] qui me mit dans un

---

1. **Carte de civisme :** papier d'identité attestant de la bonne conduite civique du porteur.
2. **Le 7 brumaire an II :** 28 octobre 1793.
3. **Une carmagnole :** une veste étroite et courte, à revers, garnie de rangées de boutons, très populaire sous la révolution.
4. **Martial :** fier.
5. **Feuille de route :** ordre de déplacement d'un militaire ou d'une troupe.

6. **Brindamour et Trompelamort :** personnages archétypes du soldat du XVIIIe siècle, brave, courageux, joli cœur.
7. **Chanoinesse :** religieuse ayant un revenu attaché à son titre.
8. **Corps :** troupe.
9. **La Meuse :** fleuve de l'est de la France, qui traverse du sud au nord la Marne, les Ardennes, la Belgique et les Pays-Bas jusqu'au delta du Rhin.
10. **Railler :** moquer, ridiculiser.

grenier, à la pluie et au vent ; encore le fit-elle d'une âme bien angoissée, tant un défenseur de la République lui semblait une dangereuse espèce de brigand.

Enfin, je rejoignis mon corps[8] sur le bord de la Meuse[9]. On me donna une épée. J'en rougis de plaisir et me crus plus grand d'un pied. Ne m'en raillez[10] pas ; c'est là de la vanité, j'en conviens ; mais c'est celle qui fait les héros. À peine équipés nous reçûmes l'ordre de partir pour Maubeuge[11].

Nous arrivâmes sur la Sambre[12] par une nuit noire. Tout se taisait. Nous vîmes des feux, allumés sur les collines, de l'autre côté de la rivière. J'appris que c'étaient les bivouacs[13] de l'ennemi. Et mon cœur battit à se rompre.

C'est d'après Tive-Live[14] que je m'étais fait une image de la guerre. Or, je vous atteste, bois, prés, collines, rives de la Sambre et de la Meuse, cette image était fausse. La guerre, telle que je la fis, consiste à traverser des villages incendiés, à coucher dans la boue, à entendre siffler des balles pendant les longues et mélancoliques factions[15] de la nuit ; mais de combats singuliers[16] et de batailles rangées[17], je n'en vis point. Nous dormions peu et nous ne mangions pas. Floridor, mon sergent, ancien garde française[18], jurait que nous menions « une vie de fête » ; il exagérait, mais nous n'étions pas malheureux, car nous avions la conscience de faire notre devoir et d'être utiles à la patrie.

Nous étions justement fiers de notre régiment qui s'était couvert de gloire à Wattignies[19]. Il était composé en grande partie de soldats de l'Ancien Régime, solides et bien instruits. Comme il avait perdu beaucoup de monde dans plusieurs affaires, on avait bouché les trous, tant bien que mal, avec de jeunes réquisitionnaires[20]. Sans les vétérans[21] qui nous encadraient, nous n'eussions rien valu. Il faut beaucoup de temps pour former un soldat, et l'enthousiasme, à la guerre, ne remplace pas l'expérience.

Mon colonel était un ci-devant[22] noble de chez moi. Il me traita avec bonté. Vieux royaliste de province, soldat et non courtisan, il avait fort tardé à changer l'habit blanc des troupes de Sa Majesté

---

11. **Maubeuge** : commune du Nord, sur la Sambre.
12. **La Sambre** : rivière qui passe à Maubeuge, Charleroi et rejoint la Meuse à Namur.
13. **Les bivouacs** : campement, cantonnement.
14. **Tite-Live** : historien latin.
15. **Factions** : gardes.
16. **Combat singulier** : duel selon des règles.
17. **Bataille rangée** : en ligne suivant un plan de bataille.

18. **Garde française** : soldat chargé de la garde des palais royaux de Paris, jusqu'en 1789.
19. **Wattignies** : commune du Nord, victoire du maréchal Jourdan sur les Autrichiens, le 16 octobre 1793.
20. **Réquisitionnaires** : recrues, conscrits.
21. **Un vétéran** : un soldat de métier, qui a déjà de nombreuses années de service.
22. **Ci-devant** : forme adverbiale ancienne qui servait à préciser ce que l'on voulait désigner.

contre l'habit bleu des soldats de l'an II. Il détestait la République et donnait tous les jours sa vie pour elle.

Je bénis la Providence de m'avoir conduit à la frontière, puisque j'y ai trouvé la vertu.

L'ÉTUI DE NACRE.

La mort accordée

Après avoir erré longtemps dans les rues désertes, André alla s'asseoir au bord de la Seine et contempla cette vaste colline de Saint-Cloud[1] où habitait Lucie, sa maîtresse, aux jours de joie et d'espérance.

De longtemps il n'avait été si calme.

À huit heures, il prit un bain. Il entra chez un traiteur[2] du Palais-Royal[3] et, regardant les papiers publics en attendant son repas, lut dans le *Courrier de l'Égalité*[4] la liste des condamnés à mort exécutés sur la place de la Révolution[5] le 24 floréal[6].

Il déjeuna de bon appétit. Puis il se leva, s'assura devant une glace si sa toilette[7] était en ordre et s'il avait le teint bon, et s'en alla d'un pas léger jusqu'à la maison basse qui fait le coin des rues de Seine et Mazarine[8]. C'est là que logeait le citoyen Lardillon, substitut[9] de l'accusateur public[10] au Tribunal révolutionnaire, homme serviable, qu'André avait connu capucin[11] à Angers et sans-culotte[12] à Paris.

Il sonna. Après quelques minutes de silence, une figure parut à travers un judas[13] grillé et le citoyen Lardillon, s'étant assuré prudemment de la mine et du nom du visiteur, ouvrit enfin la porte du logis. Il avait la face pleine, le teint fleuri[14], l'œil brillant, la bouche humide et l'oreille rouge. Son apparence était d'un homme jovial[15], mais craintif. Il conduisit André dans la première pièce de son appartement.

Une petite table ronde, de deux couverts, y était servie. On y voyait un poulet, un pâté, un jambon, une terrine de foie gras et des viandes froides couvertes de gelée. À terre, trois bouteilles rafraîchissaient dans un seau. Un ananas, des fromages et des confitures couvraient la tablette de la cheminée. Des flacons de liqueurs étaient posés sur un bureau encombré de dossiers.

Par une porte entrouverte, on apercevait dans la chambre voisine un grand lit défait.

« Citoyen Lardillon, dit André, je viens te demander un service.

---

1. **Saint-Cloud :** commune au sud-ouest de Paris.
2. **Traiteur :** restaurateur.
3. **Palais-Royal :** bâtiments et jardins de Paris, bâtis et aménagés sous Richelieu, siège du Tribunat sous la révolution.
4. **Courrier de l'Égalité :** quotidien de huit pages qui dura du 16 août 1792 au 15 mars 1796.
5. **Place de la Révolution :** l'actuelle place de la Concorde.
6. **24 floréal :** 13 mai 1794.
7. **Toilette :** habillement.
8. **Rues de Seine et Mazarine :** rues du quartier Saint-Germain-des-Prés à Paris.
9. **Substitut :** magistrat suppléant.
10. **Accusateur public :** ministère public près d'un tribunal.
11. **Capucin :** ordre religieux.
12. **Sans-culotte :** homme du peuple, qui ne portait pas de culottes comme les aristocrates, mais des pantalons.
13. **Un judas :** une petite ouverture dans une porte.
14. **Fleuri :** frais, vif.
15. **Jovial :** gai, joyeux.

— Citoyen, je suis prêt à te le rendre, s'il n'en coûte rien à la sûreté de la République. »

André lui répondit en souriant :

« Le service que je te demande s'accordera parfaitement avec la sécurité de la République et la tienne. »

Sur un signe de Lardillon, André s'assit.

« Citoyen substitut, dit-il, tu sais que depuis deux ans je conspire contre tes amis et que je suis l'auteur de l'écrit intitulé : *Les Sans-Culottes dévoilés*[16]. Tu ne me feras pas de faveur en m'arrêtant ; tu ne feras que ton devoir. Aussi, n'est-ce pas là le service que je te demande. Mais écoute-moi : j'aime, et ma maîtresse est en prison. »

Lardillon inclina la tête avec bienveillance.

« Je sais que tu n'es pas insensible, citoyen Lardillon ; je te prie de me réunir à celle que j'aime et de m'envoyer immédiatement à Port-Libre[17].

— Eh ! eh ! dit Lardillon avec un sourire sur ses lèvres à la fois fines et fortes, c'est plus que la vie, c'est le bonheur que tu me demandes, citoyen. »

Il allongea le bras du côté de la chambre à coucher et cria :

« Épicharis ! Épicharis ! »

Une grande femme brune apparut, les bras et la gorge nus, en chemise et en jupon, une cocarde[18] dans les cheveux.

« Ma nymphe[19], lui dit Lardillon en l'attirant sur ses genoux, contemple le visage de ce citoyen et ne l'oublie jamais ! Comme nous, Épicharis, il est sensible ; comme nous, il sait que la séparation est le plus grand des maux. Il veut aller en prison et à la guillotine avec sa maîtresse. Épicharis, peut-on lui refuser ce bienfait ?

— Non, répondit la fille en tapotant les joues du moine en carmagnole[20].

— Tu l'as dit, ma déesse, nous servirons deux tendres amants. Citoyen André, donne-moi ton adresse et tu coucheras à Port-Libre ce soir.

— C'est entendu ? dit André.

— C'est entendu, répondit Lardillon en lui tendant la main. Va

---

16. « **Les Sans-Culottes dévoilés** » : assurément un pamphlet paru dans une des nombreuses liasses de l'époque, un de ces journaux éphémères tel que « Le Sans-Culotte observateur » ou « Les secrets dévoilés ».
17. **Port-Libre** : ancien couvent de Port-Royal, transformé en prison.

18. **Cocarde** : insigne rond aux trois couleurs nationales.
19. **Nymphe** : jeune fille gracieuse.
20. **Carmagnole** : veste courte à revers, très populaire sous la révolution.

retrouver ta bonne amie, et dis-lui que tu as vu Épicharis dans les bras de Lardillon. Puisse cette image faire naître en vos cœurs de riantes pensées ! »

André lui répondit que peut-être ils assembleraient des images plus touchantes, mais qu'il ne lui en était pas moins reconnaissant et qu'il regrettait de ne pouvoir vraisemblablement lui rendre service à son tour.

« L'humanité ne veut pas de salaire[21] », répondit Lardillon.

Il se leva et, pressant Épicharis contre son cœur :

« Qui sait quand viendra notre tour ?

> *Omnes eodem cogimur : omnium*
> *Versatur urna ; serius ocius*
> *Sors exitura, et nos in aeternum*
> *Exilium impositura cymba[22].*

En attendant, buvons ! Citoyen, veux-tu partager notre repas ? »

Épicharis ajouta que ce serait galant et elle retint André par le bras. Mais il s'échappa, emportant la promesse du substitut de l'accusateur public.

L'ÉTUI DE NACRE.

---

21. **Salaire** : récompense.
22. **« Omnes eodem cogimur... »** : « Tous, nous sommes poussés au même lieu ; le sort de nous tous est agité dans l'urne et sortira tôt ou tard, et il nous fera monter dans la barque funèbre pour l'éternel exil. » Horace, *Odes,* Livre II, 3.

Table des matières

ALLIANCE FRANÇAISE

H HACHETTE

les publications de l'Alliance française
animées par Louis Porcher

COLLECTION
à vous de lire
Ph. Greffet, L. Porcher

Le plaisir de lire et d'écouter les grands textes de la littérature française.

- livre et cassette
- 3 titres parus

COLLECTION
débats
Ph. Greffet, L. Porcher

Le point sur les grands problèmes actuels de la diffusion du français.

- enseigner-diffuser le français : une profession (paru)
- le français et la modernité : Actes de la Biennale de New Delhi (mars 1987) (à paraître).

escale à Paris
J. Moreau

Livret d'activités et d'entraînement pour se distraire en travaillant (littérature, civilisation...).

COLLECTION
la vie
au quotidien

En préparation

COLLECTION
imaginez-vous...
- imaginez-vous à Paris : une actrice a disparu.

Imprimé en France — Imprimerie Carlo Descamps, Condé-sur-l'Escaut (59163) — N° 5338
Dépôt légal: N° 0153-08-1988 — Collection N° 31, Édition N° 0/